出口汪

大学入試 銀の漢字

必須編

漢字の決定版『金の漢字』・『銀の漢字』

常々漢字問題集の決定版ができないかと考えていました。なぜなら、既存の問題集は単なる漢字リストに過ぎず、とても実用的とは思えなかったからです。

共通テストを含め、大学入試問題の現代文では、大抵は五問、十点程度の配点が設けられています。標準的な漢字力の持ち主ならば、五問中、四問くらいは正解できるものです。それならば、たった一問、あと二点程度のために、二〇〇〇程度の漢字を覚えなければならないのでしょうか?

実は難関大学ほど、漢字は基本的なものが出題されます。高校一年程度、中には中学レベルのものが多く出されるのです。しかも、英単語や古語と決定的に異なるのは、漢字を知らなくても文章は読めるということです。

こういった現状を踏まえて、本当に役に立つ漢字の問題集とは何かということを考えました。

まずはあなたの漢字力が問題です。

①標準的な漢字の問題で、五問中四問か、時には三問以下の正答率の人 ⇓『銀の漢字』

漢字の問題でいつでも二~六点の失点があります。これは大きなハンディーなので、何とか挽回しなければなりません。

しかも、何も現代文だけでなく、他の教科の記述式問題や作文・小論文でも、誤字などにより減点される可能性が高いので、積もり積もれば大きな失点につながります。

漢字は一生の武器です。大学の卒業論文でも苦労するし、社会人になってからも恥をかくことが多いので、必ず丁寧に学習してください。

ただし、難易度の高い漢字はめったに出ませんから、簡単な漢字を確実にものにしましょう。

②標準的な漢字の問題で、全問正解か時には五問中四問の正答率の人　⇓『金の漢字』

完璧な漢字力養成を目標とするだけでなく、語彙力を徹底的に強化しましょう。そのためには例文を何度も読み、その中での漢字の意味や使い方をマスターします。

実際受験生の一番の悩みは語彙力不足なのです。語彙力が不足すると、現代文に限らず、あらゆる教科に悪影響を及ぼします。

実は評論用語を初めとする重要な語彙は、その大半が抽象、具体、止揚、概念など、二字熟語なのです。それ故、語彙力を増加するには、漢字の問題集（特に難易度の高いもの）が最適です。

高校一、二年、あるいは受験生の早い時期に『銀の漢字』を完成して、その後語彙力増強を目的に『金の漢字』に挑戦してください。高三の夏休み以降に始める人は、『銀の漢字』を徹底的にマスターしましょう。

漢字は普段から見慣れているものなので、大抵はどこかで見たことがあるはずです。だから、英単語や古語よりもはるかに覚えやすいものなのです。ただし、知っている気になっているが、いざとなったら書けない、読めないものも多いので、繰り返し学習することが必要です。

出口汪

銀の漢字 目次

書き取り 5
- A問題 200 …… 6
- B問題 200 …… 26
- C問題 120 …… 46

読み 59
- A問題 100 …… 60
- B問題 100 …… 70
- C問題 100 …… 80

語彙問題 91
- 対義語・類義語 80 …… 92
- 同音異義語 200 …… 100
- 四字熟語 100 …… 120

チェックテスト 148
- 銀の漢字　書き取り …… 147
- 銀の漢字　読み …… 136

銀の漢字

書き取り

近年の入試問題に出題されたものから、出題頻度の高い順にA、B、Cの三ランクに分けています。教科書と同じ書体で載せていますので、正確に覚えましょう。問題の中には少し難しいものも含まれていますが、これらを完璧に覚えれば、小論文や論述問題にも必ず役に立ちます。

1 生徒を代表して**アイサツ**する。

2 **アットウ**的な強さを誇る。

3 **アンモク**のうちに事を運ぶ。

4 **イカン**なく力を発揮する。

5 好調を**イジ**する。

6 **イタン**の宗教とみなす。

7 コースを**イツダツ**して走る。

8 縄文期の人々の**エイイ**を追う。

9 大きな**エモノ**をねらう。

10 学校の**エンカク**を記す。

挨拶
圧倒
暗黙
遺憾
維持
異端
逸脱
営為
獲物
沿革

◎お祝いの気持ちや謝意を伝える言葉。

◎きわだって優れた力を持っていること。

◎意思を面に出さずだまっていること。

◎思い通りにならず心残りがあること。

◎状態を保つこと。

◎正しい系統からはずれているもの。

◎それること。

◎いとなみ。

◎狩りや漁で得たもの。

◎物事の移り変わり。

11 交渉が**エンカツ**に運ぶ。

12 弔問を**エンリョ**する。

13 商品の欠点を**オオ**う。

14 弟は**オクビョウ**な性格だ。

15 冬の嵐が町を**オソ**う。

16 不安に**オチイ**る。

17 自然の**オンケイ**を受ける。

18 伝統に**カイキ**する。

19 学生時代を**カイコ**する。

20 問題が**カイザイ**する。

円滑　遠慮　覆　臆病　襲　陥　恩恵　回帰　回顧　介在

◎物事がすらすらと滞りなく行われること。

◎差し控えること。辞退すること。

◎分からないように包み隠すこと。「被」とも書く。

◎ちょっとしたことにも恐れること。

◎不意に攻めかかること。

◎よくない状態になること。計略にひっかかること。

◎めぐみ。

◎あることがもとに戻ること。

◎過去をかえりみること。

◎間にはさまってあること。

1 市場を**カイタク**する。

2 **ガイトウ**する人物を探す。

3 既成の**ガイネン**を打破する。

4 母を献身的に**カイホウ**する。

5 **カイボウ**して死因を究明する。

6 **カクゴ**を決めて挑戦する。

7 チーム内に**カクシツ**が生じる。

8 自由を**カクトク**する。

9 **カッキテキ**な製品を開発する。

10 自由を**カツボウ**する。

開拓
該当
概念
介抱
解剖
覚悟
確執
獲得
画期的
渇望

◎新しい分野、進路を切りひらくこと。

◎ある条件に適合すること。

◎おおまかな意味。

◎病人の世話をしたり、手当てをしたりすること。

◎生物体をかいたいすること。

◎迷いを捨て去り心構えをすること。

◎互いに自分の意見を強く言い張って譲らないこと。

◎手に入れること。

◎新時代・新分野を切り開くさま。

◎心の底からそうなるようにのぞむこと。

11 複雑な問題が**カラ**む。

12 愛国心を**カンキ**する。

13 **カンキョウ**問題に取り組む。

14 **カンケツ**な解説を加える。

15 税率を**カンゲン**する。

16 分かりやすく**カンゲン**する。

17 **カンシ**の目をかいくぐる。

18 不当な扱いを**カンジュ**する。

19 内政に**カンショウ**する。

20 **カンジョウ**を支払う。

絡　喚起　環境　簡潔　還元　換言　監視　甘受　干渉　勘定

◎他のことが関連している。

◎呼びおこすこと。

◎人間または生物を囲んでいる外界。

◎表現の仕方がかんたんで分かりやすいこと。

◎もとの状態に戻すこと。

◎いいかえること。

◎用心して見張ること。

◎あまんじてうけること。

◎立ち入って強引に自分の意志に従わせようとすること。

◎物の数や金銭などを数えること。

1 何事もはじめが**カンジン**だ。

2 恩師の話には**ガンチク**がある。

3 **カンビ**な歌声に酔いしれる。

4 忍耐が**カンヨウ**だ。

5 多少の違いは**カンヨウ**する。

6 両国の緊張が**カンワ**する。

7 **キイ**な服装に目がいく。

8 干ばつが続き**キガ**に苦しむ。

9 伝統的な**ギシキ**を執り行う。

10 筆記用具を**キジョウ**に置く。

肝心　◎非常に大切なこと。「肝腎」とも書く。

含蓄　◎内容に深みがあり、深い意味が込められていること。

甘美　◎心が奪われてしまうほど快いこと。

肝要　◎非常に大切なこと。

寛容　◎心が広く、他人を厳しくとがめだてしないこと。

緩和　◎やわらぐこと。

奇異　◎怪しく、ことなること。

飢餓　◎うえること。

儀式　◎一定のきまりにのっとって行われる行事。

机上　◎つくえのうえ。

11 **キセキ**が起こる。

12 **キソン**の制度を見直す。

13 論理力を**キタ**える。

14 人間関係が**キハク**になる。

15 **キハン**意識を向上させる。

16 基幹産業の**キバン**を支える。

17 害虫を**キヒ**する。

18 人生の**キビ**が描かれた作品。

19 **キュウキョク**の目的を果たす。

20 難民を**キュウサイ**する。

奇跡　既存　鍛　希薄　規範　基盤　忌避　機微　究極　救済

◎常識では起こりえない不思議なこと。「奇蹟」とも書く。

◎すでにそんざいすること。

◎繰り返し練習して、技術を十分に会得すること。

◎うすいこと。乏しいこと。「稀薄」とも書く。

◎手本・基準。「軌範」とも書く。

◎物事の土台となるもの。きそとなるもの。

◎嫌ってさけること。

◎びみょうな心の動きや物事の趣。

◎はて。きわみ。とどのつまり。「窮極」とも書く。

◎人々をすくうこと。

1 **キョウイ**的な記録を打ち出す。

2 敵に**キョウイ**を与える。

3 天井を**ギョウシ**する。

4 豊かな生活を**キョウジュ**する。

5 厚意に**キョウシュク**する。

6 歯を**キョウセイ**する。

7 故人の**ギョウセキ**を讃える。

8 最新の技術に**キョウタン**する。

9 **ギョウテン**して腰を抜かす。

10 重大な**キロ**に立たされる。

驚異　脅威　仰視　享受　恐縮　矯正　業績　驚嘆　仰天　岐路

◎普通では考えられないようなおどろくべきこと。

◎強大な勢力におびやかされ、おそれること。

◎上の方を見ること。

◎うけ取ること。

◎相手の好意に対し、申し訳なく思いおそれ入ること。

◎欠点を直し、正しくすること。

◎事業や研究などで残したこうせき。

◎予想外のできごとにおどろき感心すること。

◎たいそう驚くこと。

◎わかれ道。

11 需要と供給の**キンコウ**を保つ。

12 隣国との**キンチョウ**が高まる。

13 内容を詳細に**ギンミ**する。

14 **グウゼン**の一致をみる。

15 技術を**クシ**して構築する。

16 敗北の**クツジョク**に耐える。

17 留学を決意した**ケイイ**を語る。

18 進学を**ケイキ**に東京に出た。

19 伝統を**ケイショウ**する。

20 研究の**ケイフ**を辿る。

均衡 緊張 吟味 偶然 駆使 屈辱 経緯 契機 継承 系譜

◎つりあいがとれていること。

◎争いが起こりそうな状況であること。

◎念入りに調べること。

◎予想していなかったことが起こること。

◎思い通りにつかいこなすこと。

◎はずかしめられること。

◎いきさつ。

◎きっかけ。

◎受けつぐこと。

◎芸術、学問などにおける師弟関係や物事のつながり。

1 常識が**ケツジョ**している。

2 **ケワ**しい表情を浮かべる。

3 大国の**ケンイ**が失墜する。

4 **ケンキョ**な姿勢で臨む。

5 **ケンゴ**な意志を持つ。

6 効果の一部が**ケンザイ**化する。

7 成果が**ケンチョ**に現れる。

8 **ゲンミツ**に検査を行う。

9 勝利に**コウケン**する。

10 ホームページを**コウシン**する。

欠如　険　権威　謙虚　堅固　顕在　顕著　厳密　貢献　更新

◎あるべきものがかけていること。

◎言動が角立っている。

◎他人を服従させるいりょく。

◎ひかえめなさま。

◎心が決まっており、揺らがないこと。

◎目に見える形ではっきりとあらわれること。

◎きわだっているさま。

◎細かい点にまで手落ちなく、きびしく行うさま。

◎力を尽くして、よい結果をもたらすこと。

◎あたらしくすること。

11 強制的に身柄を**コウソク**する。

12 **コウチョク**した筋肉をほぐす。

13 **コウミョウ**に嘘をつく。

14 学習意欲が**コウヨウ**する。

15 地下資源が**コカツ**する。

16 日本人**コユウ**の食習慣。

17 敵に囲まれ**コリツ**する。

18 作品の構造に技巧を**コ**らす。

19 犯人の**コンセキ**が残っている。

20 漢字を**サイゲン**なく覚える。

拘束　硬直　巧妙　高揚　枯渇　固有　孤立　凝　痕跡　際限

◎行動の自由を制限すること。

◎柔軟でないこと。

◎たくみなこと。

◎気分などをたかめ、強くすること。「昂揚」とも書く。

◎物事が消耗し、なくなること。「涸渇」とも書く。

◎本来備わっていること。

◎他と離れて一つだけであること。

◎意識をそそぎこむ。

◎あとかた。けいせき。

◎続いていたことの終わり。きり。

1 果樹を**サイバイ**する。

2 **サッカク**を起こす。

3 彼の姿が**ザットウ**に紛れる。

4 子どもの好奇心を**シゲキ**する。

5 将来を**シサ**する。

6 ゆっくり**シサク**にふける。

7 緊急の**ジタイ**が発生する。

8 論文の**シッピツ**を依頼する。

9 誤りを**シテキ**する。

10 規則で社員を**シバ**る。

栽培　錯覚　雑踏　刺激　示唆　思索　事態　執筆　指摘　縛

◎植物を植えて育てること。

◎思い違い。

◎多くの人で込み合っている状態。人ごみ。

◎外部から働きかけ、感覚が心に反応を起こさせること。

◎ほのめかすこと。

◎深く考えること。

◎ことのありさま。なり行き。

◎文章を書くこと。

◎さし示すこと。

◎そくばくすること。制限すること。

11 過去にシュウチャクする。

12 ジュウナンに対応する。

13 シュコウを凝らしたもてなし。

14 新たな試みをショウカイする。

15 ショウゲキを吸収する。

16 ショウジに影が映る。

17 念願をジョウジュさせる。

18 目標に向かいショウジンする。

19 実験の失敗にショウソウする。

20 平和をショウチョウする像。

執着 柔軟 趣向 紹介 衝撃 障子 成就 精進 焦燥 象徴

◎強く心をひかれ、それにとらわれること。

◎やわらかく、しなやかなさま。

◎おもむき。

◎まだ知られていない情報を広く伝えること。

◎瞬間的に加わる大きな力。

◎窓や縁側の内側などに立てる建具の総称。

◎願いなどをなし遂げること。

◎懸命に努力すること。

◎あせること。「焦躁」とも書く。

◎ちゅうしょう的なものを具体的事物で表現すること。

1 車が壁に**ショウトツ**する。

2 **ショウヘキ**を乗り越える。

3 妹の活躍に**ショクハツ**される。

4 特徴を忠実に**ジョジュツ**する。

5 **ジョジョ**に雨脚が強くなる。

6 プライバシーを**シンガイ**する。

7 隣国の漁場を**シンショク**する。

8 汚れが**シントウ**するのを防ぐ。

9 国民の**シンパン**が下る。

10 騒音に**シンボウ**できない。

衝突　障壁　触発　叙述　徐徐　侵害　侵食　浸透　審判　辛抱

◎ぶつかること。

◎隔てるかべ。さまたげ。

◎ある事がきっかけとなって事を始めること。

◎順を追ってのべること。

◎少しずつ変化していくさま。だんだんと。

◎他人の権利や利益をおかし、がいを与えること。

◎少しずつおかしていくこと。

◎しみとおること。

◎事件をしんりして、はんだんすること。

◎つらくてもがまんすること。

11 事件の**スイイ**を説明する。

12 極秘で任務を**スイコウ**する。

13 経済が**スイタイ**する。

14 システムを**セイギョ**する。

15 **セイジャク**を破る物音。

16 糖分を**セッシュ**する。

17 両者に**セッチュウ**案をはかる。

18 情報を**ソウサ**する。

19 公園を**ソウジ**する。

20 式場を**ソウショク**する。

推移　遂行　衰退　制御　静寂　摂取　折衷　操作　掃除　装飾

◎変化していくこと。

◎物事をなしとげること。やりとげること。

◎おとろえ弱まること。

◎おさえつけ、自分の意のままにすること。

◎物音や人の気配が全く感じられないほどしずかなさま。

◎取り入れて自分のものにすること。

◎二つのものの長所を取り入れて、調和させること。

◎自分の都合のよいように処理すること。

◎ごみやほこり、汚れなどを取ること。

◎美しくかざり整えること。

1 **ソウワ**を語り継ぐ。

2 友人との関係が**ソエン**になる。

3 **ソッセン**して働く。

4 **タクワ**えが底をつく。

5 美しさを**タンテキ**に表現する。

6 **タンネン**に点検する。

7 **タンラク**的な行動を慎む。

8 心身を**タンレン**する。

9 技術と情報を**チクセキ**する。

10 無作為に**チュウシュツ**する。

挿話　疎遠　率先　蓄　端的　丹念　短絡　鍛練　蓄積　抽出

◎ちょっとしたおもしろい話。エピソード。

◎連絡を取り合ったり行き来することがなくなること。

◎人にさき立つこと。積極的に行うこと。

◎後々のために貯めておくこと。

◎遠まわしでなく、はっきりと。

◎細かいところまで心を配ること。

◎原因と結果を、筋道を無視して結びつけること。

◎心身や技能をきたえ磨くこと。「鍛錬」とも書く。

◎たくわえること。

◎全体の中からあるものを抜きだすこと。

11 助走せずに**チョウヤク**する。

12 **テキカク**な判断を下す。

13 消毒を**テッテイ**させる。

14 責任が**テンカ**される。

15 政策を**テンカン**する。

16 目的地に**トウタツ**する。

17 首相が**トウトツ**に辞任する。

18 難題から**トウヒ**する。

19 長年の不満を**トロ**する。

20 新緑の**ノウタン**が美しい。

跳躍　的確　徹底　転嫁　転換　到達　唐突　逃避　吐露　濃淡

◎とびはねること。

◎本質をついているさま。「適確」とも書く。

◎すみずみまで十分に行き届くこと。

◎責任などを他人におしつけること。

◎かえること。

◎行き着くこと。

◎不意。だしぬけ。

◎苦しいことや難しいことからのがれること。

◎本心を言うこと。

◎色や味のこいことと薄いこと。

1 **ノウミツ**な時間を過ごす。

2 イメージが**ノウリ**に焼きつく。

3 雑誌に写真を**ノ**せる。

4 記憶**バイタイ**を管理する。

5 環境に**ハイリョ**して生活する。

6 研究の実態を**バクロ**する。

7 実力を**ハッキ**する。

8 大臣の発言が**ハモン**を呼んだ。

9 印刷する**ハンイ**を指定する。

10 植物が**ハンショク**する。

濃密　脳裏　載　媒体　配慮　暴露　発揮　波紋　範囲　繁殖

◎みつどがこいこと。

◎頭の中。心中。「脳裡」とも書く。

◎新聞や本などに記録されること。

◎伝達の仲立ちとなるもの。

◎心をくばること。

◎隠していたことがあらわれること。あばくこと。

◎持っている力などを外に出すこと。

◎関連して広がっていく影響。

◎決まりにそって区切られた領域。

◎しげり、数が多くなること。

11 松が小枝を**ハンモ**させる。

12 計画を**ビサイ**に説明する。

13 **ヒサン**な状況を生き抜く。

14 **ヒソウ**な解釈を批判する。

15 位置が**ビミョウ**に変化する。

16 物音に**ビンカン**に反応する。

17 裏切り行為に**フンガイ**する。

18 民族間の**フンソウ**が続く。

19 心の**ヘイオン**を保つ。

20 地域を**ヘダ**てる河川。

繁茂
◎草木が生いしげること。

微細
◎こまかくちいさなこと。

悲惨
◎痛ましいこと。

皮相
◎物事の真実を見極めず、うわべだけで判断すること。

微妙
◎はっきりととらえられないほど、細かく複雑なこと。

敏感
◎かんかくが鋭いこと。

憤慨
◎腹を立てること。

紛争
◎物事が絡み合うことによって起こるあらそい。

平穏
◎変わったこともおこらず、おだやかなこと。

隔
◎物の間に何かを置くことでさえぎること。

1 客の**ベンギ**をはかる。

2 日本はすっかり**ヘンヨウ**した。

3 地震で家屋が**ホウカイ**した。

4 他社の営業を**ボウガイ**する。

5 全体を**ホウカツ**して述べる。

6 成果の**ホウシュウ**を受け取る。

7 **ボウトウ**の一文を暗記する。

8 野性動物を**ホカク**する。

9 友人との**マサツ**を解消する。

10 話を**マンゼン**と聞く。

便宜 変容 崩壊 妨害 包括 報酬 冒頭 捕獲 摩擦 漫然

◎都合のよいこと。特別なはからい。

◎姿形をかえること。

◎くずれること。

◎さまたげること。

◎一つにまとめること。

◎仕事や物の代償として受け取る金品。

◎文章、談話のはじめ。

◎生けどりにすること。

◎物事の間のあつれき。

◎特別な目的もなく事をなすさま。

11 弟の話には**ミャクラク**がない。

12 観客を**ミリョウ**する舞台。

13 組織内の**ムジュン**を隠す。

14 新たな手法を**モサク**する。

15 **モハン**となる例文を示す。

16 **ヤッカイ**な問題に直面する。

17 **ヤッキ**になって反対する。

18 **ユウキュウ**の歴史を辿る。

19 条件の変更を**ヨウセイ**する。

20 **ヨクヨウ**をつけて音読する。

脈絡　魅了　矛盾　模索　模範　厄介　躍起　悠久　要請　抑揚

◎物事のつづき。筋道。

◎人の心をひきつけ夢中にさせること。

◎つじつまの合わないこと。

◎手さぐりで探すこと。「摸索」とも書く。

◎習い従うべきもの。

◎面倒なこと。

◎気がはやってむきになること。

◎果てしなく長いこと。

◎強く求めること。

◎音声や音楽、文章などの調子に強弱をつけること。

1 **アイマイ**な説明でごまかす。

2 裁判官に**イギ**を申し立てる。

3 **イキョク**をつくして説明する。

4 桜の木を**イショク**する。

5 **イデン**の傾向が強い病気。

6 生命の**イブキ**を感じる。

7 過去の**インネン**を断ち切る。

8 多大な**エイキョウ**を与える。

9 彼は**エイリ**な頭脳の持ち主だ。

10 立ち止まって**エシャク**する。

曖昧 異議 委曲 移植 遺伝 息吹 因縁 影響 鋭利 会釈

◎はっきりしないこと。

◎他とはことなる意見。

◎詳しく細かいこと。

◎別の場所にうつしうえること。

◎次の世代に形質などがつたわること。

◎生気。活動の気配。

◎宿命。

◎ある働きが及ぶことにより、変化が現れること。

◎頭の働きがするどいこと。

◎浅くお辞儀すること。軽く挨拶すること。

11 不正な行為が**オウコウ**する。

12 **オウライ**に人だかりがする。

13 自然環境が**オセン**される。

14 新薬の効果には**カイギ**的だ。

15 残された資料は**カイム**だ。

16 社会から**カクゼツ**された生活。

17 内容の真偽を**カクニン**する。

18 感染患者を**カクリ**する。

19 問題に直面し**カットウ**する。

20 記念の**カヘイ**を発行する。

横行　往来　汚染　懐疑　皆無　隔絶　確認　隔離　葛藤　貨幣

◎勝手気ままな振る舞いが広がること。

◎人や車などが行ったり来たりする通り。

◎よごれにそまること。

◎うたがいを抱くこと。

◎少しもないこと。

◎たいそうへだたりがあること。

◎物事をはっきりさせてたしかめること。

◎へだててはなれた場所に置くこと。

◎心の中に相反する欲求が起こり、迷うこと。

◎商品を交換するときの仲立ちとなる物。

1 卒業の**カンガイ**に浸る。

2 拍手と**カンセイ**に包まれる。

3 意志を**カンテツ**する。

4 個人の情報を**カンリ**する。

5 会社の**カンレイ**に従う。

6 父が**カンレキ**を迎えた。

7 経営の**キキ**を乗り切る。

8 多くの**ギセイ**を払う。

9 集団に**キゾク**する。

10 奥から**キミョウ**な音がする。

感慨　歓声　貫徹　管理　慣例　還暦　危機　犠牲　帰属　奇妙

◎心に深くかんじること。

◎喜びがあふれることで出る叫び声。

◎つらぬき通すこと。

◎よい状態を維持すること。

◎しゅうかんとなっていること。

◎数え年六十一歳の称。

◎大変なことになってしまうかもしれない状態。

◎ある目的のため、損失を顧みないこと。

◎つき従うこと。

◎不思議なさま。変わっているさま。

11 事故の原因を**キュウメイ**する。

12 恵まれた**キョウグウ**で学ぶ。

13 **キョウコウ**で会社が倒産する。

14 **キョウシュウ**にかられる。

15 **キョクタン**な例を挙げる。

16 **キョコウ**の記事を書く。

17 彼との交際を**キョゼツ**する。

18 メールの受信を**キョヒ**する。

19 **クジュウ**の選択を迫られる。

20 石を**クダ**く音がする。

究明
◎道理や真理をつきつめてはっきりさせること。

境遇
◎この世に生きていく上で置かれた、人それぞれの立場。

恐慌
◎価格の下落、失業増大、倒産続出状態の経済パニック。

郷愁
◎こきょうを懐かしむこと。

極端
◎はなはだしく、一方に偏っていること。

虚構
◎作りごと。（文芸）フィクション。

拒絶
◎相手の申し出を強くこばむこと。

拒否
◎こばむこと。

苦渋
◎物事が思い通りにならず、辛い思いをすること。

砕
◎かたまりを細かくする。

1 **クトウ**の末、勝利する。

2 入院の費用を**クメン**する。

3 入試問題の**ケイコウ**を探る。

4 新聞に広告を**ケイサイ**する。

5 **ケイソツ**な行動を慎む。

6 **ケッコウ**な眺めに感動する。

7 数々の**ケッサク**を世に残す。

8 金銭に対して**ケッペキ**である。

9 関係悪化に**ケネン**を抱く。

10 首相が**ケンカイ**を公表する。

苦闘
工面
傾向
掲載
軽率
結構
傑作
潔癖
懸念
見解

◎手強い相手とくるしみながらたたかうこと。

◎なんとか手段を考えて、必要なものをそろえること。

◎考え方や態度が、特定のむきにかたむくこと。

◎新聞や雑誌などに、文章や写真をのせること。

◎よく考えずにかるはずみな行動をとること。

◎素晴らしく難点がないさま。

◎出来ばえのきわめてすぐれていること。

◎ふけつや不正を嫌う性質。

◎気にかかって不安に思うこと。

◎考え方。いけん。

11 **ゲンシュク**に式を執り行う。

12 現場**ケンショウ**を行う。

13 **コイ**に窓ガラスを割る。

14 両者の思惑が**コウサク**する。

15 ネットワークを**コウチク**する。

16 **コウリツ**よく作業を進める。

17 相手の立場を**コウリョ**する。

18 記念日を**コクイン**する。

19 肉体を**コクシ**して旅を続ける。

20 無性に**コドク**を感じる。

厳粛　検証　故意　交錯　構築　効率　考慮　刻印　酷使　孤独

◎おごそかで心が引き締まるさま。

◎実際に調べてしょうめいすること。

◎わざとすること。

◎入りまじること。

◎組み立ててきずき上げること。

◎仕事ののうりつ。

◎しっかりかんがえること。

◎しるしを彫って、きざみつけること。

◎こき使うこと。

◎心を許せる相手がおらず、ひとりであること。

1 疲れた選手を**コブ**する。

2 高齢者を積極的に**コヨウ**する。

3 **コンキョ**を明確にする。

4 **コンワク**した表情を見せる。

5 メールの返信を**サイソク**する。

6 次年度の予算を**サクゲン**する。

7 名札を首から**サ**げる。

8 地域の活動に**サンカク**する。

9 面接官にお**ジギ**をする。

10 友人の成功に**シット**する。

鼓舞
◎励まし奮い立たせること。

雇用
◎やとうこと。

根拠
◎物事が基づくところ。

困惑
◎こまって、どうしてよいか分からないこと。

催促
◎求めている行動をとるよううながすこと。

削減
◎数量をけずってへらすこと。

提
◎物をある部分で支えて、下に垂らすこと。

参画
◎立案にさんかすること。

辞儀
◎頭を軽く下げて礼をすること。あいさつ。

嫉妬
◎優れた人や環境のよい人をねたむこと。

11 優勝するのは**シナン**なことだ。

12 環境**シヒョウ**となる生物。

13 テストの結果は**ジメイ**だ。

14 意味が**シャクゼン**としない。

15 通信を**シャダン**する。

16 **ジャッカン**準備が必要だ。

17 **シュウカク**の多い留学生活。

18 高速道路が**ジュウタイ**する。

19 怒りが**ジュウマン**する。

20 イベントを**シュサイ**する。

至難 ◎きわめてむずかしいさま。

指標 ◎判断の基準になる目印。

自明 ◎分かりきっていること。

釈然 ◎疑いが消えて、心が晴れ晴れとするさま。

遮断 ◎さえぎること。

若干 ◎いくらか。多少。

収穫 ◎手に入れた成果。

渋滞 ◎物事がつかえて、調子よく進まないこと。

充満 ◎いっぱいにみちること。

主催 ◎自分が中心となってもよおすこと。

1 高校生活を**ジュッカイ**する。

2 悪**ジュンカン**に陥る。

3 **ショウガイ**物を避ける。

4 偉人の**ショウゾウ**を掲げる。

5 雪山で**ショウソク**を絶つ。

6 緑化活動を**ショウレイ**する。

7 **ショミン**の生活に密着する。

8 **シンコク**な問題が生じる。

9 地震計の**シンプク**を見る。

10 神経が**スイジャク**する。

述懐 循環 障害 肖像 消息 奨励 庶民 深刻 振幅 衰弱

◎心の中の思いをのべること。

◎一連の変化の過程を繰り返すこと。

◎妨げとなる物や状況。

◎ある人物の顔や姿をうつした絵や写真。

◎安否。状態。

◎ある事をするよう、強くすすめること。

◎特別なところのない世間一般の人々。

◎事態が迫り重々しいさま。

◎しんどうする距離。

◎おとろえてよわくなっていくこと。

11 **スウコウ**な美を堪能する。

12 大自然を**スウハイ**する。

13 部屋の**スミ**で膝を抱える。

14 空気が**ス**みきっている。

15 **セイキュウ**に結論を出す。

16 **セイジュク**した肉体を持つ。

17 産業の**セイスイ**を調べる。

18 大げさに言う**セイヘキ**がある。

19 次大会での**セツジョク**を誓う。

20 自然の**セツリ**を利用する。

崇高 崇拝 隅 澄 性急 成熟 盛衰 性癖 雪辱 摂理

◎品格がたかく、偉大であるさま。

◎尊いものとして敬うこと。

◎角や端の方。

◎清く透き通っているさま。

◎きゅうに物事が進むさま。短気。

◎不足や欠点がないところまで育つこと。

◎勢いの強弱。

◎せいしつの偏り。

◎恥をすすぎ、名誉を取り戻すこと。

◎自然界を統治している法則。

1 高度を落として**センカイ**する。

2 時代の**センク**者を尊敬する。

3 彼女はとても**センサイ**だ。

4 **センザイ**能力を引き出す。

5 結婚を**ゼンテイ**につきあう。

6 **センレン**された文章を読む。

7 圧政者を**ゾウオ**する。

8 全員の意見を**ソウカツ**する。

9 困難に**ソウグウ**する。

10 資格を**ソウシツ**する。

旋回　先駆　繊細　潜在　前提　洗練　憎悪　総括　遭遇　喪失

◎円を描くように方向を転換すること。

◎他に先んじて物事を行うこと。

◎こまやかなこと。微妙なこと。

◎表面に表れず、ひそみ隠れていること。

◎あることが成り立つためのもとになる条件。

◎磨きをかけて、あかぬけたものにすること。

◎たいそうにくむこと。

◎内容を評価して締めくくること。

◎思わぬ場面に出会うこと。

◎なくすこと。うしなうこと。

11 微生物が**ゾウショク**する。

12 社会から**ソガイ**される。

13 技術の進歩を**ソクシン**する。

14 必要な**ソチ**をとる。

15 意思の**ソツウ**をはかる。

16 **ソッチョク**な感想を伝える。

17 便利な機能を**ソナ**える。

18 **ソボク**な人柄を好む。

19 開始まで**タイキ**する。

20 非常事態に**タイショ**する。

増殖
疎外
促進
措置
疎通
率直
備
素朴
待機
対処

◎ふえること。ふやすこと。

◎うとんじて避けること。

◎物事が早くすすむように、力を加えること。

◎物事がうまくいくようにはからうこと。

◎支障なくつうじること。

◎包み隠さずありのままであること。

◎物やせつびを十分にそろえておくこと。

◎飾り気がなく、ありのままのこと。

◎準備をして、出番が来るのをまつこと。

◎場面に応じたしょちをとること。

1 大きな**ダイショウ**を払う。
2 **タイダ**な生活を送る。
3 新たな勢力が**タイトウ**する。
4 未来を若者に**タク**す。
5 筆を**タク**みに操る。
6 **タサイ**な顔ぶれが集まる。
7 新商品の開発に**タズサ**わる。
8 必要な情報を**タンサク**する。
9 待望の長男が**タンジョウ**する。
10 **タンセイ**な身のこなしをする。

代償
怠惰
台頭
託
巧
多彩
携
探索
誕生
端正

◎他人にかけた損害のつぐない。
◎なまけること。
◎あるものの勢いが増して目立ってくること。
◎人に頼んで任せること。
◎うまく。手際よく。
◎変化や種類がおおく、にぎやかなさま。
◎関わること。
◎さぐり調べること。
◎人がうまれること。
◎ととのっていること。「端整」とも書く。

11 社会の**チツジョ**が乱れる。

12 組織の**チュウスウ**を担う。

13 病気の**チョウコウ**を把握する。

14 野外に**チョウコク**を展示する。

15 経済の新たな**チョウリュウ**。

16 景気が**チンタイ**している。

17 **チンプ**な意見を一蹴する。

18 大国の政策に**ツイズイ**する。

19 部活動で精神力を**ツチカ**う。

20 血液の流れが**テイタイ**する。

秩序　中枢　兆候　彫刻　潮流　沈滞　陳腐　追随　培　停滞

◎よい状態を維持するための正しいじゅんじょ。きまり。

◎主要な部分。

◎何かが起こる前ぶれ。「徴候」とも書く。

◎石や木、金属などに模様や文字をほった作品。

◎時代が移り変わっていく動き。

◎活気がなく、発展が見られないこと。

◎ありふれて平凡なこと。

◎あとに従うこと。

◎長い時間をかけて育てる。

◎物事がはかどらず、とどこおること。

1 **テイネイ**に作業を進める。
2 地雷の**テッキョ**に参加する。
3 食品に防腐剤を**テンカ**する。
4 坂道で**テントウ**する。
5 実体験を**トウエイ**した小説。
6 患者の心理を**ドウサツ**する。
7 名画に**トウスイ**した。
8 **ドウリョウ**と親しくする。
9 **トクイ**な景観を持つ遺跡。
10 窓辺で星を**ナガ**める。

丁寧
撤去
添加
転倒
投影
洞察
陶酔
同僚
特異
眺

◎細かいところまで心を配ること。
◎取り除くこと。
◎他の物をくわえること。
◎ひっくりかえること。逆さにすること。
◎反映させること。
◎見抜くこと。
◎その境地にようこと。
◎職場や役職、立場などが同じ人。
◎他とことなること。目立って優れていること。
◎遠くを見渡すこと。

11 話を聞いて**ナットク**する。

12 責任の一端を**ニナ**う。

13 両者の差が**ニョジツ**に表れる。

14 観客のすき間を**ヌ**う。

15 自然保護を**ネントウ**におく。

16 相違点が**ノウコウ**になる。

17 大学入試に**ノゾ**む。

18 労働時間を**ハアク**する。

19 業者に**バイカイ**を依頼する。

20 不要なものを**ハイジョ**する。

納得
担
如実
縫
念頭
濃厚
臨
把握
媒介
排除

◎他人の考えを理解し、認めること。

◎自分の仕事としてたんとうすること。

◎現実のままであること。ありのまま。

◎物と物との間を通り抜けて行く。

◎心のうち。あたまの中。

◎そうである可能性が高いさま。

◎物事に向かい合うこと。

◎しっかりつかむこと。理解すること。

◎仲立ち。双方の間に立ってとりもつこと。

◎のぞくこと。

1 有能な人材を**ハケン**する。

2 新品に**ヒッテキ**する品質だ。

3 **ヒフ**に薬を塗る。

4 医療技術が**ヒヤク**を遂げる。

5 タオルを**ヒョウハク**する。

6 新商品を**ヒロウ**する。

7 地震が**ヒンパン**に発生する。

8 新しい制度を**フキュウ**させる。

9 研究に**フズイ**する問題。

10 **フダン**の努力が実を結んだ。

派遣　匹敵　皮膚　飛躍　漂白　披露　頻繁　普及　付随　不断

◎仕事をするために、ある場所に行かせること。

◎肩を並べること。つりあうこと。

◎動物の体の表面を覆っている組織。

◎急速に発達すること。

◎さらしてしろくすること。

◎公にすること。報告すること。

◎しばしば起こること。

◎広く一般に行きわたること。

◎関わりつながっていること。「附随」とも書く。

◎絶え間がないこと。

11 震災から**フッコウ**する。

12 独特な**フンイキ**が漂う。

13 意識の**ヘンカク**を促す。

14 変化の**ホウガ**が見える。

15 過去の一切を**ボウキャク**する。

16 **ボウダイ**な資料を整理する。

17 騒動の**ホッタン**となる発言。

18 趣味に**ボットウ**する。

19 生地に模様を**ホドコ**す。

20 母国語に**ホンヤク**する。

復興
雰囲気
変革
萌芽
忘却
膨大
発端
没頭
施
翻訳

◎衰えたものをもう一度盛んにすること。

◎その場にかもし出される気分。

◎新しいものに直すこと。

◎めばえること。物事の兆し。

◎すべてをわすれてしまうこと。

◎量や数が非常に多いさま。

◎はじまり。

◎一つのことだけに熱中すること。

◎他の物を付け加えること。

◎ある言語を、内容を変えずに他の言語に直すこと。

1 地中深くに**マイボツ**する。

2 忙しさで気が**マギ**れる。

3 **ムジャキ**な横顔を見せる。

4 敵の**モウイ**が迫る。

5 **モクゲキ**情報が寄せられる。

6 先生の動きを**モホウ**する。

7 正社員として**ヤト**う。

8 幼稚園で**ユウギ**会が開かれる。

9 時間を**ユウズウ**する。

10 数日間**ヨイン**に浸る。

埋没 ◎すっかりうまっていて見えないこと。

紛 ◎他に気持ちが移り、悲しみなどの感情を忘れること。

無邪気 ◎あどけなく素直なこと。

猛威 ◎激しい勢いやいりょく。

目撃 ◎実際に自分のめで見ること。

模倣 ◎同じようにすること。「摸倣」とも書く。

雇 ◎賃金を払って人を使うこと。

遊戯 ◎一定の目的、方法に沿って行うあそび。

融通 ◎その場その場で適切な処置を取ること。

余韻 ◎事が終わった後に残る風情。

11 犯罪の発生を**ヨクシ**する。

12 時間に**ヨユウ**がある。

13 歌舞伎が**リュウセイ**を迎える。

14 絵の**リンカク**をなぞる。

15 **ルイジ**した商品が出回る。

16 失敗の原因を**ルイスイ**する。

17 悪い噂が**ルフ**している。

18 **レイギ**正しく接する。

19 建築物の欠陥が**ロテイ**する。

20 **ワズラ**わしい手間を省く。

抑止　余裕　隆盛　輪郭　類似　類推　流布　礼儀　露呈　煩

◎おさえとめること。

◎あまり。

◎勢いがさかんになり、栄えること。

◎まわり。外形。

◎にていること。

◎似ている部分から他のことの見当をつけること。

◎世間に広まること。

◎相手に敬意を表す動作。

◎隠していたものがあからさまになること。

◎込み入っていてめんどうなさま。厄介なさま。

1 父を師と**アオ**ぐ。

2 **イギ**を正して式典に参列する。

3 世界**イサン**に登録される。

4 自然の絶対的な力を**イフ**する。

5 不正を厳しく**イマシ**める。

6 **イヨウ**な気配がする。

7 先生のお宅に**ウカガ**う。

8 言論の自由を**ウバ**われる。

9 **エタイ**の知れない怪物。

10 機械を**エンカク**操作する。

仰　威儀　遺産　畏怖　戒　異様　伺　奪　得体　遠隔

◎尊敬する。

◎作法にかなった動作。

◎前の時代の人々がのこした業績。

◎おそれおののくこと。

◎禁止する。注意する。

◎普通と変わったようす。

◎「訪れる」の謙譲語。

◎他人のものを無理に取り上げること。

◎正体。本性。

◎かけ離れていること。

11 日々の努力を**オコタ**る。

12 産業の**オコ**りについて調べる。

13 食品の安全性を**オビヤ**かす。

14 **カイコン**の涙を流す。

15 企業の経営に**カイニュウ**する。

16 病状が**カイホウ**に向かう。

17 学習の場を**カクチョウ**する。

18 **カコク**な環境にさらされる。

19 戦いの**カチュウ**に置かれる。

20 じっとこらえて**ガマン**する。

怠

興

脅

悔恨

介入

快方

拡張

過酷

渦中

我慢

◎なまけること。

◎盛んになる。

◎危うい状態にさせる。

◎こうかいして心残りに思うこと。

◎強引に割り込んで干渉すること。

◎病気や傷がだんだんと治ること。

◎規模を大きくする。

◎厳しすぎるさま。

◎混乱のちゅうしん。

◎耐え忍ぶこと。

1 **カレイ**な舞いに嘆息する。

2 業者の**カンゲン**にだまされる。

3 仏教の教えに触れる**キエン**。

4 シェイクスピアの**ギキョク**。

5 当然の結論に**キケツ**する。

6 宇宙の**キゲン**を探る。

7 先人たちの**キセキ**をたどる。

8 **キソ**となる知識を身につける。

9 料理の腕を**キソ**う。

10 **キチョウ**な映像を公開する。

華麗 甘言 機縁 戯曲 帰結 起源 軌跡 基礎 競 貴重

◎はなやかで美しいこと。

◎相手をその気にさせる巧みなことば。

◎きっかけ。どうき。

◎演劇の脚本。文学作品の一形式。

◎最後にたどり着くこと。

◎物事のはじまり。みなもと。

◎昔の人が歩んできた、道のりや行動のあと。

◎物事の前提となるもの。

◎きょうそうすること。

◎たいそう価値があるさま。

11 こんな**キトク**な人は珍しい。

12 **キビ**しく取り締まりを行う。

13 生産の**キボ**を拡大する。

14 **キュウエン**の物資を届ける。

15 産業の発展に**キヨ**する。

16 核兵器の**キョウフ**に震える。

17 異国の文化に**キョウミ**を持つ。

18 参加を**キョウヨウ**する。

19 生徒の**キョドウ**を観察する。

20 彼は没後に**グウゾウ**化された。

奇特　厳　規模　救援　寄与　恐怖　興味　強要　挙動　偶像

◎心構えや行動がほめるべきものであるさま。

◎物事の状態が緊張していて重々しいさま。

◎構え、仕組みなどの大きさ。

◎困難な状況にある人をすくうこと。

◎力を尽くし役に立つこと。

◎おそろしいと思うこと。

◎積極的に向けられた関心。

◎無理にようきゅうすること。

◎立ち居振舞い。様子。

◎信仰や崇拝の対象とされるもの。

1 左右のバランスが**クズ**れる。

2 **クッセツ**した愛情表現。

3 本のページを**ク**る。

4 民主主義へ**ケイシャ**する。

5 神社の**ケイダイ**で神楽をみる。

6 同じ**ケイトウ**の服を着る。

7 音楽活動に**ケイトウ**する。

8 自己**ケンオ**に陥る。

9 **ゲンカク**な手続きが必要だ。

10 母を**ケンシン**的に介護する。

崩 屈折 繰 傾斜 境内 系統 傾倒 嫌悪 厳格 献身

◎まとまっていたものが乱れること。

◎素直でなく、分かりにくいこと。

◎順番に動かすこと。

◎思想が、ある方向へかたむいていくこと。

◎社寺の敷地のうち。

◎同じ種類の範囲内であること。つながり。

◎心を奪われ、それに熱中すること。

◎憎しみきらうこと。

◎きまりをきびしく守ること。

◎自分を捧げて尽くすこと。

11 本は知識の**ゲンセン**だ。

12 **コウキシン**が芽生える。

13 平和が**コウキュウ**に続く。

14 **コウケイ**者を育成する。

15 **コウタク**のある素材を用いる。

16 初めての体験に**コウフン**する。

17 証言することを**コバ**む。

18 入学希望者が**サットウ**する。

19 **ザンコク**な表現を消去する。

20 現場の**シキ**を執る。

源泉
好奇心
恒久
後継
光沢
興奮
拒
殺到
残酷
指揮

◎みなもと。

◎珍しいことや知らないことに対する興味。

◎ひさしく変わらぬこと。

◎あとをつぐこと。

◎物の表面の輝き。つや。

◎気持ちが高ぶること。

◎固く断る。

◎一度に押し寄せること。

◎思いやりがなく、平気で苦しめるさま。

◎指示を与えて人を動かすこと。

1 公共の**シセツ**を見学する。

2 **シテイ**関係を結ぶ。

3 会話の**ジャマ**をする。

4 大企業に**ジュウゾク**する。

5 卒業証書を**ジュヨ**する。

6 有効な方法論を**ジュリツ**する。

7 **ショウコ**の資料を提出する。

8 **ショウタイ**状を郵送する。

9 異国の**ジョウチョ**が漂う。

10 **ショウドウ**的な行動に走る。

施設 師弟 邪魔 従属 授与 樹立 証拠 招待 情緒 衝動

◎目的を持った建造物やせつび。

◎しょうとでしの関係にあたるもの。

◎さまたげ。

◎強いものにしたがうこと。

◎さずけあたえること。

◎新しく作り上げること。

◎あかし。

◎人をまねくこと。

◎様々な感情を引き起こすような雰囲気。

◎よく考えず、発作的に行動しようとする心の動き。

11 知人が突然**ジョウハツ**する。

12 **ショウライ**の計画を立てる。

13 契約書に**ショメイ**する。

14 多くの**シレン**を乗り越える。

15 問題に**シンケン**に取り組む。

16 戦争の**シンソウ**を解明する。

17 研究が大きく**シンテン**する。

18 敵の領土に**シンニュウ**する。

19 看板を**ズイショ**に立てる。

20 現金**スイトウ**帳を作成する。

蒸発
将来
署名
試練
真剣
真相
進展
侵入
随所
出納

◎人の行方が分からなくなること。

◎これから先。みらいより現在に近い時。

◎自分のせいめいを書くこと。

◎実力や信念を厳しくためされること。

◎本気。

◎物事の本当の事情。しんじつ。

◎物事がすすみ、新たに広がっていくこと。

◎無断ではいりこむこと。

◎あちこち。そこらじゅう。

◎ししゅつと収入。

1 **セイコウ**に造られたロボット。

2 数学の難問を**セイフク**する。

3 演劇の魅力に**セマ**る。

4 食物**センイ**を多く含む野菜。

5 大衆の**センドウ**を画策する。

6 記憶が**センメイ**に蘇る。

7 言語学を**センモン**に学ぶ。

8 初舞台を**センレツ**に飾る。

9 社員をうまく**ソウジュウ**する。

10 労働者で団体を**ソシキ**する。

精巧
征服
迫
繊維
扇動
鮮明
専門
鮮烈
操縦
組織

◎細かなところまでたくみに工夫されているさま。

◎困難なことをやり遂げること。

◎探り求め近づいていくこと。

◎細い糸状の物質。

◎人の気持ちをあおり、思惑通りにうごかすこと。

◎あざやかではっきりしていること。

◎一つの分野にひたすら携わること。

◎あざやかできょうれつなこと。

◎思いのままにあやつること。

◎目的を果たすために、役割や人員を構成すること。

11 墓前に団子を**ソナ**える。

12 会社の方針に**ソム**く。

13 **タイクツ**な話に眠くなる。

14 時には**ダキョウ**も必要だ。

15 **ダラク**した生活を送る。

16 彼の趣味は**チョチク**だ。

17 茶の新芽を**ツ**む。

18 規格に**テキゴウ**させる。

19 活発な議論を**テンカイ**する。

20 部下を**トウソツ**する。

供

背

退屈

妥協

堕落

貯蓄

摘

適合

展開

統率

◎神仏などに物をささげること。

◎逆らう。

◎つまらなくて飽き飽きすること。

◎双方が譲ること。

◎身をもちくずすこと。

◎財貨をたくわえること。

◎指先で挟んでとること。

◎うまくあてはまること。

◎繰り広げること。

◎たくさんの人々をまとめ、ひきいること。

1 彼女の泣き顔に**ドウヨウ**する。

2 予想外の結果に**トウワク**する。

3 **トツジョ**爆発が起こる。

4 結果が出ず**トロウ**に終わる。

5 車の運転に**ナ**れる。

6 指先の感覚が**ニブ**い。

7 現状の**ニンシキ**が甘い。

8 人材が多数**ハイシュツ**する。

9 彼の地位は**バンジャク**だ。

10 他社の製品と**ヒカク**する。

動揺
◎気持ちが不安定になること。

当惑
◎途方に暮れること。

突如
◎とつぜんに。だしぬけに。

徒労
◎無益なくろう。役に立たないさま。

慣
◎何度も行うことで上手になること。

鈍
◎動作や反応が遅い。

認識
◎他のものと区別して理解すること。

輩出
◎優れた人物が続々と世にでること。

磐石
◎安定し、しっかりしていること。「盤石」とも書く。

比較
◎くらべること。

11 交響楽団を**ヒキ**いる。

12 入浴して**ヒロウ**を取る。

13 **フキュウ**の名作と讃えられる。

14 仲間と世界中を**ボウケン**する。

15 国民の生活を**ホゴ**する。

16 彼は母校の**ホマ**れだ。

17 あれこれと**モウソウ**にふける。

18 大学病院で**リンショウ**実習する。

19 感動の**レンサ**反応が起きる。

20 燃料の**ロウヒ**を防ぐ。

率
疲労
不朽
冒険
保護
誉
妄想
臨床
連鎖
浪費

◎集団の指揮を執ること。

◎つかれ。

◎いつまでも評判が衰えないこと。

◎きけんが伴うことをわざわざ行うこと。

◎かばいまもること。

◎高い評価を得ること。めいよ。

◎根拠のない自分勝手なそうぞう。

◎実際に医療行為を施すこと。

◎くさりのように繋がること。

◎みだりについやすこと。無駄遣い。

志望パターンに応じて選択できる 出口の システム現代文シリーズ

```
バイブル編 ┄┄┄→ ベーシック編    解法公式集（全編対応）
  ↓
センター対策編    私大対策編
                    ↓
                  論述・記述編
                  （国公立大二次・難関私大）
                    ↓
                  実戦演習編（大予言）
  ↓                 ↓
理系 文系         難関私大 中堅私大 短大
国・公立大                 推薦入試
```

ベーシック編 ──────────────── ●本体価格 1200円
　現代文の苦手な高校生の福音の書。現代文がたちまち得意になる1冊！

バイブル編 ──────────────── ●本体価格 1200円
　現代文学習に「革命」をもたらした、現代文シリーズの中核となる1冊！

私大対策編 ──────────────── ●本体価格 1200円
　難関私大の複雑な問題も、論理的解法で全問正解を可能にした1冊！

センター対策編 ──────────────── ●本体価格 1200円
　センターだからできる出口の満点獲得法。そのすべてが詰まった1冊！

論述・記述編 ──────────────── ●本体価格 1200円
　「書かせる問題」も楽々クリア。国公立大二次、難関私大合格への1冊！

実践演習編 ──────────────── ●本体価格 1200円
　入試を知り尽くした出口の大予言。満点対策の総仕上げとなる1冊！

解法公式集 ──────────────── ●本体価格 680円
　真の論理的読解法を、公式としてコンパクトにまとめた1冊！

銀の漢字

読み

近年の入試問題に出題されたものから、出題頻度の高い順にA、B、Cの三ランクに分けています。読みの問題では、常用漢字以外からの出題も少なくありません。多様な読みを持つ漢字に注意して、意味とともに覚えましょう。

1 英語を自由自在に操る。
2 地名の由来を調べる。
3 敵の目を欺く。
4 友人との関係に軋轢が生じる。
5 合格通知が届き安堵する。
6 潔く決断を下す。
7 徒に周囲を混乱させる。
8 地層が著しく変動する。
9 一抹の寂しさを感じる。
10 彼らは所謂団塊の世代だ。

あやつ
ゆらい
あざむ
あつれき
あんど
いさぎよ
いたずら
いちじる
いちまつ
いわゆる

◎うまくつかうこと。
◎物事のおこり。
◎だます。
◎仲が悪くなること。
◎不安がなくなり心が安らぐこと。
◎未練がましいところがなく思い切るさま。
◎意味もなく無駄なさま。
◎はっきりと分かるほどのさま。
◎ごくわずか。
◎世間でよく言うところの。

11 真実を隠蔽する。

12 学園祭への参加を促す。

13 平和への祈りは永劫に続く。

14 手紙の夥しさに唖然とする。

15 目標と実態が乖離している。

16 渓流の傍らにたたずむ。

17 思わぬ陥穽にはまる。

18 選挙の帰趨は明らかだ。

19 彼の発言は明らかに欺瞞だ。

20 敬虔な祈りを捧げる。

いんぺい
うなが
えいごう
おびただ
かいり
かたわ
かんせい
きすう
ぎまん
けいけん

◎わざと物事を隠すこと。

◎その気になるように勧めること。

◎限りなく長い年月。

◎数や量がたいそう多いさま。

◎結びつきがなくなること。

◎そば。

◎他人がかけたわな。策略。

◎物事が最後に行き着くところ。

◎嘘の事柄を真実だと思い込ませること。

◎神仏を深く敬うさま。

1 大国の政策に迎合する。
2 伝染病の予防を啓蒙する。
3 戯作の価値が見直される。
4 絢爛な衣装を身にまとう。
5 文章の巧拙は問わない。
6 傲慢な態度を改める。
7 友人と些細なことでもめる。
8 あやまちのすべてを懺悔する。
9 発作を鎮めるための薬。
10 市井を歩き回る。

げいごう
けいもう
げさく
けんらん
こうせつ
ごうまん
ささい
ざんげ
しず
しせい

◎自分の主張を曲げ、他人に気に入られようとすること。
◎人々に正しい知識を与え、教え導くこと。
◎軽い気持ちで作った文章や詩。
◎きらびやかで色彩が鮮やかなさま。
◎巧みなこととつたないこと。
◎思い上がって人を見下すこと。
◎取るに足らない小さなこと。
◎自分がしたことを後悔し、改めることを告白すること。
◎痛みや乱れを落ち着かせること。
◎人が集まっているところ。

11 執拗に質問を繰り返す。

12 政権が終焉を迎える。

13 発言の自由を蹂躙する。

14 友人が相手だと饒舌になる。

15 一つ一つの所作に気を配る。

16 誤りを辛辣に指摘する。

17 精緻に設計する。

18 寂寥とした冬の景色。

19 刹那の快楽に酔いしれる。

20 衝撃の事実に戦慄が走る。

しつよう

しゅうえん

じゅうりん

じょうぜつ

しょさ

しんらつ

せいち

せきりょう

せつな

せんりつ

◎執念深いさま。

◎命や物事が終わるとき。

◎権利や秩序などを踏みにじること。

◎言葉数が増えること。おしゃべりなこと。

◎動作。しぐさ。

◎たいそう厳しいさま。

◎詳しくて念入りなさま。

◎ひそやかで寂しいさま。

◎一瞬。非常に短い時間。

◎恐ろしさのあまり震えること。

1 偉人の足跡を辿る。
2 現場の実態を知悉している。
3 澄明な空を見上げる。
4 匿名で通報する。
5 捏造された情報を削除する。
6 遊ぶ中で感性が育まれる。
7 価格の低下に拍車がかかる。
8 破綻した企業を救済する。
9 恩師の言葉を反芻する。
10 予測の範疇をこえる。

たど
ちしつ
ちょうめい
とくめい
ねつぞう
はぐく
はくしゃ
はたん
はんすう
はんちゅう

◎あれこれ考えながら探し求めること。
◎詳しく知っていること。
◎明るく澄み切っているさま。
◎名前を隠し知らせないこと。
◎にせの事柄を真実のように見せること。
◎養い伸ばすこと。
◎「拍車がかかる」は、進行が速まること。
◎今までの状態を保てず、行き詰まること。
◎何度も思い出し考えること。
◎同じ性質のものが属する領域。

11 体内に病魔が潜む。

12 畢竟するに完全な敗北だ。

13 資源の供給が逼迫する。

14 内容を敷衍して説明する。

15 四季折折の風情を楽しむ。

16 事故の真相を葬る。

17 契約が突然反故にされる。

18 新たな問題が勃発する。

19 幼児の無垢な笑顔。

20 上司の説教も免疫になった。

ひそ

ひっきょう

ひっぱく

ふえん

ふぜい

ほうむ

ほご

ぼっぱつ

むく

めんえき

◎外からは分からないように隠れていること。

◎結局。最終的に。

◎よくない事態がさし迫ること。

◎分かりやすく言い換えること。

◎趣や味わいがある様子。

◎不都合なことを知られないように隠すこと。

◎「反故にする」は、なかったことにすること。

◎物事が急に起こること。

◎心にけがれのないさま。

◎何度も経験することにより慣れてしまうこと。

1 税金の体系を弄ぶ。

2 退屈で眠気を催す。

3 慣れ親しんだ由緒ある神社。

4 地名の所以を調べる。

5 大企業に隷属する。

6 難問を抱える。

7 先祖を供養する。

8 医師不足は切実な問題だ。

9 男女を均等に待遇する。

10 優勝の喜びに浸る。

もてあそ

もよお

ゆいしょ

ゆえん

れいぞく

かか

くよう

せつじつ

たいぐう

ひた

◎思いのままに扱うこと。

◎ある感情や状態を引き起こす。

◎現在に至るまでの歴史。

◎物事が成立するための筋道。

◎従って下につくこと。

◎自分に課せられたものとしてもつこと。

◎死者の霊に供物をささげること。

◎直接さし迫ってくること。

◎給与や立場などの取り扱い。

◎ある状態や心境に入りきる。

11 身を翻して逃げる。

12 国連での議論が紛糾する。

13 病院の偏在を解消する。

14 苦痛に顔が歪む。

15 スタンドに観衆が溢れる。

16 しかけた網を引き上げる。

17 雨の中を慌てて帰った。

18 新居の居心地がよい。

19 署名して押印する。

20 皆目見当がつかない。

ひるがえ

ふんきゅう

へんざい

ゆが

あふ

あみ

あわ

いごこち

おういん

かいもく

◎からだをおどらせる。

◎物事がうまく進まず、もつれること。

◎かたよって存在すること。

◎形が正しくなくなること。

◎入りきらないほど多いこと。

◎糸や針金などを編んで作った道具。

◎ひどく急ぐこと。

◎ある場所や地位にいるときのこころもち。

◎印を押すこと。

◎まったく。

1 年下の者に加勢する。
2 幾何学の起源を探る。
3 毎朝六時に起床する。
4 胸襟を開いて語り合う。
5 労務環境を是正する。
6 薬の即効を期待する。
7 犯人を血眼になって捜す。
8 帰郷の都度に墓参りをする。
9 試合に敗れ悔しさを募らせる。
10 家系が途絶える。

1 かせい
2 きかがく
3 きしょう
4 きょうきん
5 ぜせい
6 そっこう
7 ちまなこ
8 つど
9 つの
10 とだ

1 ◎力を貸して助けること。
2 ◎図形や空間の性質を研究する数学の一部門。
3 ◎寝床から起き出すこと。
4 ◎心の中。
5 ◎悪い点を改め正すこと。
6 ◎ききめがすぐに現れること。
7 ◎他のすべてを忘れ、一つのことに熱中しているさま。
8 ◎そのたびごとに。毎回。
9 ◎ますます激しくなる。
10 ◎中途で絶える。

11 人知れず練習に**励**む。

12 **密**かに脱出の計画を練る。

13 天寿を**全**うする。

14 長年の努力に**報**いる。

15 世界で**唯一**の作品。

16 各店舗の売り上げを**累計**する。

17 友人の成功を**羨**む。

18 夜中まで**審議**を重ねる。

19 部屋の中を**覗**く。

20 **真面目**な顔で話をする。

はげ

ひそ

まっと

むく

ゆいいつ

るいけい

うらや

しんぎ

のぞ

まじめ

◎力を尽くして行う。

◎他人に知られないように、隠れて物事を行うさま。

◎なしとげること。

◎受けた行為に対して、相応のことを返すこと。

◎ただ一つだけで他にはないこと。

◎小計を順序通りに加えて、合計を出すこと。

◎他人の様子を見て、自分もそのようにありたいと思うこと。

◎ある事柄について詳しく調べ、検討すること。

◎小さなすき間や穴を通して見ること。

◎真剣な態度、顔つき。

1 仕事の塩梅を考慮する。

2 一途に学問に取り組む。

3 一瞥して高価な物と分かる。

4 入閣を頑なに拒み続ける。

5 為替相場の推移を見る。

6 春になり木々の梢が伸びる。

7 斬新な技法を用いる。

8 願いは呪術では叶えられない。

9 山奥の渓流に棲む岩魚。

10 三脚を据えて撮影する。

あんばい
いちず
いちべつ
かたく
かわせ
こずえ
ざんしん
じゅじゅつ
す
す

◎物事をほどよく処理すること。

◎ひたすら一つのことに打ち込むこと。

◎ちらっと見ること。

◎融通がきかず頑固なさま。

◎為替相場とは、自国通貨と外国通貨との交換比率のこと。

◎幹や枝の先。

◎趣向や発想がきわだって新しいこと。

◎まじない。魔法。

◎動物が巣を作って暮らす。

◎場所を定めて、動かないように置くこと。

11 収支の算盤が合う。

12 古都の名残をとどめる。

13 相手を口汚く罵る。

14 知人を役員から外す。

15 鉄道を敷設する。

16 恩師の訃報が入る。

17 データをすべて抹消する。

18 稀に見る才能の持ち主。

19 服装に無頓着な友人。

20 法に拠り決定を下す。

そろばん

なごり

ののし

はず

ふせつ

ふほう

まっしょう

まれ

むとんちゃく

よ

◎勘定。計算。

◎物事が過ぎ去った後、その気配や影響が残っていること。

◎声高に非難すること。

◎取り除くこと。

◎施設や装備などを設置すること。

◎死亡したという知らせ。

◎塗り消すこと。除くこと。

◎めったにないさま。

◎物事を少しも気にかけないこと。

◎根拠とする。

1 国民の不安を煽る。

2 花々が鮮やかに咲きほこる。

3 勝利して威厳を取り戻す。

4 友達と銀杏並木を歩く。

5 慇懃に接客する。

6 木々が鬱蒼と茂る。

7 大袈裟にふるまう。

8 文章に諧謔を盛り込む。

9 自らの責任を省みる。

10 規定に適う戦略をとる。

あお
あざ
いげん
いちょう
いんぎん
うっそう
おおげさ
かいぎゃく
かえり
かな

◎勢いを強めること。

◎美しくはっきりしているさま。

◎堂々としておごそかなこと。

◎落葉高木。葉は扇形で、秋になると黄葉する。

◎心遣いが細やかで丁寧なさま。

◎周りが薄暗く感じるほど樹木が茂っているさま。

◎物事を実質以上に誇張すること。

◎おもしろみのある気の利いた文句。

◎自分のしたことをもう一度考えること。

◎うまく当てはまっていること。

11 美しい音楽を**奏**でる

12 大臣の発言が物議を**醸**す。

13 壮大な**伽藍**を誇る。

14 **含羞**の笑みを浮かべる。

15 旧友に会い**感涙**にむせぶ。

16 歴史に名を**刻**む。

17 高齢者の**疑似**体験をする。

18 **狭隘**な心の持ち主。

19 **禁忌**の薬を避ける。

20 経済の状況は**混沌**としている。

かな

かも

がらん

がんしゅう

かんるい

きざ

ぎじ

きょうあい

きんき

こんとん

◎特に管弦楽器を演奏すること。

◎ある状態や雰囲気を生み出すこと。

◎僧が居住し修行する場所。

◎恥じらうこと。はにかむこと。

◎深く感じ入って流す涙。

◎記憶にとどめる。

◎本物の真似をすること。

◎心が狭く、人を受け入れることができないさま。

◎病状を悪化させるもの。タブーのこと。

◎けじめがつかずはっきりしないさま。

1 家事を颯爽とこなす。

2 論理が雑駁な文章。

3 任務の遂行を妨げる行為だ。

4 敵に自白を強いる。

5 復活への執念をみせる。

6 全員の意見を収斂する。

7 すべての衆生を救済する。

8 法律は遵守すべきだ。

9 犯人の素性が明らかになる。

10 計画を是非実現させたい。

さっそう

ざっぱく

さまた

し

しゅうねん

しゅうれん

しゅじょう

じゅんしゅ

すじょう

ぜひ

◎人の動作がきびきびして気持ちのよいさま。

◎雑然としてまとまりがないこと。

◎物事が行われるのを妨害すること。

◎無理にやらせる。

◎強く心をひかれ、そのことだけにとらわれること。

◎一つにまとめること。

◎命のある生き物。主に人間。

◎きまりに従って、よく守ること。「順守」も同意。

◎生まれや育った環境。

◎強く願うさま。

11 着物に合わせて草履を選ぶ。

12 災害に即応するための訓練。

13 情報の伝達に齟齬が生じる。

14 日本の食文化を堪能する。

15 自分の町の鳥瞰図を見る。

16 鬼が跳梁する昔話。

17 治療に膨大な費用がかかる。

18 戦没者を追悼する。

19 事件の真相を詳らかにする。

20 来賓を丁重に紹介する。

ぞうり

そくおう

そご

たんのう

ちょうかんず

ちょうりょう

ちりょう

ついとう

つまび

ていちょう

◎わらなどで編み、鼻緒をつけた底が平らなはき物。

◎状況に合わせて、すぐに行動すること。

◎うまくかみ合わず食い違うこと。

◎十分に満足すること。

◎高い所から見下ろしたように描いた地図。

◎悪いものの勢いが盛んになること。

◎病気やけがを治すための医療行為。

◎亡くなった人を思い、悲しむこと。

◎細部まではっきりしているさま。

◎注意が行き届いていて丁寧なこと。

1 妹の不注意を咎める。

2 仕事が滞る。

3 溌剌とした表情を見せる。

4 毎年川が氾濫する。

5 彼岸には先祖の霊を敬う。

6 経過を踏まえて話す。

7 社会を痛烈に風刺する。

8 琉球舞踊の伝統を継承する。

9 平生の行いに気を配る。

10 曖昧な態度に心が惑う。

とが
とどこお
はつらつ
はんらん
ひがん
ふ
ふうし
ぶよう
へいぜい
まど

◎あやまちを責めること。

◎物事が順調に運ばないこと。

◎健康で生き生きと活動しているさま。

◎水が増加し、あふれること。

◎春分の日と秋分の日の、前三日と後三日の七日間。

◎よりどころとする。

◎遠まわしな表現を用いて批判すること。

◎音楽に合わせて体を動かすことで感情を表現する芸術。

◎常日頃。いつも。

◎どうしたらよいのか分からず困ること。

11 友人を家に**迎**える。

12 彼には**明晰**な目標がある。

13 主力選手がチームを**離脱**する。

14 **流暢**に英語を話す。

15 歴史を**歪曲**する。

16 戦争の犠牲者を**哀悼**する。

17 友人の靴音が**虚**ろに響く。

18 ひな人形に**烏帽子**をかぶせる。

19 **円錐**の体積を求める。

20 人を**貶**める発言をする。

むか
めいせき
りだつ
りゅうちょう
わいきょく
あいとう
うつ
えぼし
えんすい
おとし

◎人が来るのを待ちうける。
◎確実で明らかなさま。
◎属しているところから抜けること。
◎すらすらと流れ、よどみがないこと。
◎物事を正しくない方にまげること。
◎人の死を悲しみいたむこと。
◎ぼんやりしているさま。
◎元服した男子がつけるかぶりもの。
◎円錐面と一平面とで囲まれた立体。
◎劣ったものとして扱うこと。さげすむ。

1 地震により家屋が崩壊する。

2 原始的なリズムに感応する。

3 母は几帳面な性格だ。

4 踵を返して家に戻る。

5 資格試験に及第する。

6 郷土料理の作り方を口伝する。

7 武士の給料は石高で表された。

8 小競り合いが起こる。

9 声高に勝利を宣言する。

10 悪の権化となる。

かおく

かんのう

きちょうめん

きびす

きゅうだい

くでん

こくだか

こぜ

こわだか

ごんげ

◎人が住むための建物。

◎深く感じこたえること。

◎物事を細かいところまできちんと行うさま。

◎「踵を返す」は、引き返すこと。「踵」は「かかと」とも読む。

◎試験などに合格すること。

◎人から人へ口頭で伝えること。

◎検地によって法定された耕地の生産高。

◎「小競り合い」は、小さいもめごと。

◎大きな声を出すさま。

◎ある抽象的な特質を具体化したもの。

11 今生の別れを告げる。

12 躾の厳しい家庭で育つ。

13 体育館の入り口を施錠する。

14 母の苦労は大抵ではない。

15 彼は卓抜なセンスの持ち主だ。

16 腕の傷が治癒する。

17 奴隷制度の廃止を訴える。

18 大臣を罷免する。

19 作品の冒頭に伏線を張る。

20 不慮の事故に遭う。

こんじょう
しつけ
せじょう
たいてい
たくばつ
ちゆ
どれい
ひめん
ふくせん
ふりょ

◎この世に生きている間。

◎礼儀作法が身に付くよう教えこむこと。

◎かぎをかけること。

◎普通。

◎他よりも抜き出て優れていること。

◎病気やけがが治ること。

◎権利や自由を認められず、他人の支配下に置かれる人。

◎職を辞めさせること。

◎後のことがうまくいくように前もって準備しておくもの。

◎思いがけないこと。

1 悩んだ挙句、転職した。

2 受験で焦る心を落ち着かせる。

3 多くの名作を著す。

4 過剰な装飾を忌む。

5 異形の装束を身にまとう。

6 幾多の困難を乗り越えてきた。

7 生垣を設置する。

8 位相による言葉の違い。

9 茶わんや皿を一対買う。

10 試験に合格し有頂天になる。

あげく
あせ
あらわ
い
いぎょう
いくた
いけがき
いそう
いっつい
うちょうてん

◎結局。

◎せいて気をもむこと。いらだつこと。

◎書物を書いて世の中に出すこと。

◎嫌い避けること。

◎普通とは異なる形。あやしい姿。

◎数が多いこと。

◎樹木を植え並べて作った垣根。

◎性別や職業、年齢などの相違から起こる言葉の違い。

◎二つで一組となること。

◎得意の絶頂であること。

11 窓ガラスに雨滴が付着する。

12 姉は電子機器に疎い。

13 新政府が産声をあげる。

14 感動的な話に目が潤んだ。

15 巨匠の技巧に詠嘆する。

16 電車の遅延で往生した。

17 横暴な振舞いに閉口する。

18 部屋を大雑把に掃除する。

19 真実は自ずから明らかになる。

20 法律の条約を解釈する。

うてき
うと
うぶごえ
うる
えいたん
おうじょう
おうぼう
おおざっぱ
おの
かいしゃく

◎雨のしずく。雨だれ。

◎関心がない。理解が十分でない。

◎物事が新しく現れること。

◎湿り気を帯びること。

◎深く感動すること。

◎あきらめてじっとしていること。

◎わがままで乱暴な行いをすること。

◎細かいことにこだわらないさま。

◎ひとりでに。自然に。

◎文章や物事の内容・意味を理解すること。

1. 相手の要求を**快諾**する。
2. 政治の世界を**垣間見**る。
3. 目標を**掲**げる。
4. 旅客機を**格納**する。
5. **河岸**で鮮魚を仕入れる。
6. 攻撃の**要**となるポジション。
7. 私にとってこれは**吉兆**だ。
8. 家族の健康を**祈祷**する。
9. 父は**強靭**な精神の持ち主だ。
10. 恐ろしい**形相**で追いかける。

1. かいだく
2. かいまみ
3. かか
4. かくのう
5. かし
6. かなめ
7. きっちょう
8. きとう
9. きょうじん
10. ぎょうそう

1. ◎快く承諾すること。
2. ◎すき間からこっそりとのぞき見ること。
3. ◎目立つようにして示すこと。
4. ◎しまい納めること。
5. ◎河川の岸に立っている市場。
6. ◎物事の最も大切なところ。
7. ◎よいことが起こる前触れ。
8. ◎神仏に祈ること。
9. ◎ねばり強いこと。
10. ◎顔つき。

11 孔雀の羽の美しさに感動する。

12 彼はなかなかの曲者だ。

13 敵を軽侮の目で見る。

14 神の化身として敬われる。

15 長く険しい獣道を歩く。

16 成功する可能性が減殺する。

17 豪華な装身具を身につける。

18 映画の興行収入を集計する。

19 彼女の話は高尚すぎる。

20 出演の依頼を快く承諾する。

くじゃく

くせもの

けいぶ

けしん

けもの

げんさい

ごうか

こうぎょう

こうしょう

こころよ

◎キジ科の鳥。オスは扇状の冠羽をもっている。

◎やり手な人。したたかな人。

◎軽んじてあなどること。

◎神仏が姿かたちを変えて、この世に現れること。

◎「獣道」は、動物が通って作られた山中の細い道。

◎減らすこと。少なくすること。

◎ぜいたくで華やかなこと。

◎客を集め、入場料をとって様々な行事を催すこと。

◎学問や言行などの程度が高く上品なこと。

◎気持ちがよい。わだかまりがない。

1 精巧な細工を施す。
2 祖父の最期をみとる。
3 催涙スプレーを浴びる。
4 直筆の手紙を送る。
5 事の次第を詳しく話す。
6 友人の失言が波紋をよぶ。
7 民族紛争は小康を保っている。
8 結論を出すのは尚早だ。
9 如才なく立ちふるまう。
10 版画を刷る。

さいく
さいご
さいるい
じきひつ
しだい
しつげん
しょうこう
しょうそう
じょさい
す

◎手先を使って細かいものを作ること。
◎死にぎわ。
◎涙が出るように刺激すること。
◎自分自身が筆をとって書くこと。
◎いきさつ。なりゆき。
◎言ってはいけないことを言うこと。
◎事態がしばらくの間収まっていること。
◎その事をするにはまだ早すぎること。
◎手抜かり。
◎印刷する。

11 古い慣習が廃れ始める。

12 脊椎を固定する手術を行う。

13 外国製品の市場を狭める。

14 騒騒しい世間を離れる。

15 素行の調査を依頼する。

16 各地の現状を素描する。

17 更地を耕し畑にする。

18 河川が緩やかに蛇行する。

19 選手の健闘を讃える。

20 この勝利は努力の賜物だ。

すた

せきつい

せば

そうぞう

そこう

そびょう

たがや

だこう

たた

たまもの

◎おとろえる。使われなくなる。

◎体の支柱をなす骨格。

◎せまくする。迫害する。

◎さわがしい。落ち着かない。

◎普段の行い。

◎簡潔にまとめて書いた文章や絵。

◎田畑の土を掘り返すこと。

◎うねうねと曲がっていること。

◎ほめる。

◎結果として得た良い事柄。「賜」で「たまもの」とも読む。

1 長兄から手紙が届く。

2 委員会での採決を追認する。

3 事件解決に繋がる証拠品。

4 安心して吐息をもらす。

5 人の命を何よりも尊ぶ。

6 採算を度外視して製造する。

7 映画俳優の虜になる。

8 選挙を睨んだ発言をする。

9 刷毛で均一に塗る。

10 万感胸に迫り言葉に詰まる。

1 ちょうけい
2 ついにん
3 つな
4 といき
5 とうと（たっと）
6 どがいし
7 とりこ
8 にら
9 はけ
10 ばんかん

◎一番上の兄。

◎過去にさかのぼって事実だと認めること。

◎結びつく。関連する。

◎ためいき。

◎大切に扱う。重んじる。

◎問題にしないこと。

◎ある事柄に夢中になってしまうこと。

◎先のことを考える。計算に入れる。

◎獣毛などを束ねそろえて、柄に植えこんだもの。

◎様々な感情。

11 店が繁盛する。

12 同郷の選手を贔屓にする。

13 外観の美醜を気にかける。

14 単衣を着る時期は短い。

15 瓶にジャムを詰める。

16 分厚い本を読破する。

17 風聞の真相を確かめる。

18 福音をもたらす手紙。

19 両手で耳を塞ぐ。

20 文字を金色で縁取る。

はんじょう

ひいき

びしゅう

ひとえ

びん

ぶあつ

ふうぶん

ふくいん

ふさ

ふち

◎にぎわって栄えること。

◎気に入ったものを特別に引き立てること。

◎美しいことと醜いこと。

◎裏地のない和服。「単」で「ひとえ」とも読む。

◎陶・ガラス・金属などでできた物を入れる容器。

◎かなり厚みがある。

◎うわさ。とりざたされること。

◎喜ばしい知らせ。

◎閉じる。ふたをする。

◎物のはしやへり。

1 山小屋で**吹雪**をしのぐ。

2 料金を**分割**で支払う。

3 屋内では**帽子**を脱ぐ。

4 **木刀**を握りしめる。

5 **満面**の笑みをたたえる。

6 **眉間**にしわを寄せる。

7 問題を解決する**妙薬**はない。

8 健闘**虚**しく初戦で敗退する。

9 **猛然**と抗議する。

10 **朦朧**としながら発言する。

ふぶき

ぶんかつ

ぼうし

ぼくとう

まんめん

みけん

みょうやく

むな

もうぜん

もうろう

◎激しい風を伴って雪が降ること。

◎いくつかに分けること。

◎頭にかぶるもの。

◎木で作られた刀。

◎顔じゅう。

◎眉と眉との間。

◎不思議なほど効き目のあるもの。

◎あとかたがない。「空しい」と同音同意。

◎勢いが激しいさま。

◎意識が確かでないさま。

11 緊張が解け表情も和らいだ。

12 自転車に乗って遊説する。

13 遊山客が多く訪れる。

14 養蚕が盛んだった地域。

15 色とりどりの寄席の看板。

16 来賓を紹介する。

17 海が瑠璃色に輝く。

18 老翁の知恵を頼りにする。

19 災難に巻き込まれ狼狽する。

20 アイデアが次々と湧く。

やわ

ゆうぜい

ゆさん

ようさん

よせ

らいひん

るり

ろうおう

ろうばい

わ

◎おだやかになる。

◎自分の意見を説きながら各地を巡ること。

◎遊びに出かけること。

◎かいこを育て繭をとること。

◎大衆芸能を興行する演芸場。

◎式典などに招待された客。

◎青い色をした宝石。

◎年老いた男性。女性は「老媼」で「ろうおう」と読む。

◎あわてふためくこと。

◎考えや感情が生じる。

システム現代文
ベーシック編

ようこそ、出口の現代文ワールドへ！
現代文の苦手な高校生のためにゼロから出発。
現代文がたちまち得意になる1冊！

出口の
大学入試
システム現代文

出口 汪
Deguchi Hiroshi

ベーシック編

現代文の苦手な高校生の
福音の書。
この1冊でたちまち得意科目になる！

現代文の出発点となる本書は、論理力と文脈力に絞り込んで、より深く、より丁寧に解説してあります。現代文の一貫した解き方を、比較的簡単な良問を通して習得！　その後「バイブル編」に進み、難解な文章で思考力を養えば、あらゆる設問に対処する力が養成されます！

●本体価格● 1200円

銀の漢字

語彙問題

対義語、類義語は正解がひとつとは限りません。ただし本書では、解答しやすいように答えをひとつにしぼる出題形式にしています。

大学入試の要となるのが同音異義語です。漢字は意味とともに覚えることが何よりも大切です。

読みと意味は必ずいっしょに覚えましょう。また、誤った書き方で覚えてしまっているものも多くあるものです。特に赤字の部分は要注意です。

1 威圧 ↔ 懐□
2 栄達 ↔ 零□
3 汚濁 ↔ 清□
4 快諾 ↔ 固□
5 簡潔 ↔ 冗□
6 干渉 ↔ □任
7 陥没 ↔ 隆□
8 強硬 ↔ 軟□
9 狭量 ↔ □容
10 極端 ↔ □庸

柔 落 澄 辞 長 放 起 弱 寛 中

◎押さえつける ― 手なずける
◎出世する ― おちぶれる
◎よごれている ― きよらかである
◎気持ちよく聞き入れる ― かたく断る
◎わかりやすい ― くどい
◎従わせようとする ― 成り行きにまかせる
◎落ちくぼむ ― 盛り上がる
◎意志がつよい ― 意志がよわい
◎心がせまい ― 心が広い
◎偏っている ― 偏っていない

11 勤勉 ↕ □惰

12 軽快 ↕ 荘□

13 軽侮 ↕ □拝

14 謙虚 ↕ □柄

15 涸渇 ↕ □沢

16 酷評 ↕ □賛

17 充実 ↕ □虚

18 拾得 ↕ 遺□

19 受理 ↕ □下

20 詳細 ↕ 概□

怠 重 崇 横 潤 絶 空 失 却 略

◎一生懸命励む ― なまける

◎かろやかなさま ― 厳かなさま

◎あなどる ― うやまう

◎控えめ ― 無礼

◎尽き果てる ― 余裕がある

◎厳しいひょうか ― この上ないさんび

◎内容が満ちている ― 内容がない

◎手に入れる ― なくす

◎うけつける ― 退けて戻す

◎くわしい ― おおまか

1 迅速 ↕ □慢

2 繊細 ↕ □放

3 創造 ↕ 模□

4 挿入 ↕ □出

5 促進 ↕ □制

6 率先 ↕ □随

7 存続 ↕ 廃□

8 多弁 ↕ □黙

9 稚拙 ↕ □妙

10 中枢 ↕ □端

緩　豪　倣　抽　抑　追　止　寡　巧　末

◎すみやか　―　ゆるやか

◎こまやかである　―　大胆である

◎新たにつくる　―　まねる

◎差しこむ　―　抜き出す

◎すすめる　―　おさえる

◎先立って行う　―　あとに従って行う

◎つづける　―　やめる

◎口数がおおい　―　口数が少ない

◎子どもじみている　―　優れている

◎ちゅうしん　―　はし

11 低俗 ↔ □尚

12 撤去 ↔ □置

13 特殊 ↔ □遍

14 薄暮 ↔ 払□

15 繁忙 ↔ □散

16 分割 ↔ 一□

17 褒賞 ↔ □罰

18 名誉 ↔ 恥□

19 融解 ↔ □固

20 理論 ↔ □践

高　設　普　暁　閑　括　懲　辱　凝　実

◎下品 ― 上品

◎取り除く ― もうける

◎ふつうと違うこと ― 共通していること

◎夕ぐれ ― 明け方

◎いそがしい ― ひま

◎わける ― ひとつにまとめる

◎ほめたたえる ― ばつを与える

◎ほまれ ― はずかしめ

◎溶ける ― かたまる

◎知識 ― 行動

1 永遠 ＝ 恒□
◎いつまでも変わらず長く続くこと。

2 解雇 ＝ 罷□
◎職をやめさせること。

3 回復 ＝ 治□
◎病気やけががよくなること。

4 我慢 ＝ □耐
◎たえしのぶこと。

5 干渉 ＝ □入
◎強引に関わること。

6 完遂 ＝ □就
◎やりとげること。

7 頑迷 ＝ □屈
◎考え方がかたくなであること。

8 起源 ＝ 発□
◎物事のはじまり。

9 寄贈 ＝ 進□
◎金銭や品物を人に与えること。

10 虚構 ＝ □空
◎事実ではない作りごと。

久 免 癒 忍 介 成 偏 祥 呈 架

11 均衡 = □和
◎つりあいがとれていること。

12 屈強 = 頑□
◎体が丈夫で力がつよいこと。

13 傑出 = 卓□
◎他よりもとびぬけて優れていること。

14 貢献 = 寄□
◎役に立つことを行うこと。

15 互角 = 伯□
◎差がなく優劣をつけがたいこと。

16 固執 = 墨□
◎自分の考えを決して曲げないこと。

17 混乱 = □糾
◎物事がもつれて入りみだれること。

18 残念 = □憾
◎思い通りにならず心残りに思うこと。

19 示唆 = □示
◎それとなく気づかせること。

20 譲歩 = □協
◎互いにゆずりあい折合いをつけること。

調 健 越 与 仲 守 紛 遺 暗 妥

1 省略 ＝ □愛
2 心酔 ＝ □倒
3 心配 ＝ □念
4 絶滅 ＝ □絶
5 疎外 ＝ □斥
6 滞在 ＝ 駐□
7 追憶 ＝ □顧
8 道徳 ＝ □理
9 抜群 ＝ 屈□
10 抜粋 ＝ 抄□

割　傾　懸　根　排　留　回　倫　指　録

◎手放したりはぶいたりすること。
◎ある人物や物事に夢中になること。
◎気にかけて不安に思うこと。
◎すべてなくなること。
◎うとんじてしりぞけること。
◎ある期間一定の場所にとどまること。
◎過去を思い返すこと。
◎人が善悪を判断する基準となるもの。
◎多くの中で突出して優れていること。
◎必要なところをぬき出すこと。

11 反逆 ＝ 謀□
◎国家や権威にそむくこと。

12 不意 ＝ □突
◎とつぜんに。

13 普及 ＝ 流□
◎世の中に広まること。

14 平穏 ＝ □寧
◎日々おだやかに暮らせること。

15 変遷 ＝ □革
◎物事の移りかわり。

16 没頭 ＝ □念
◎一つのことにはまりこむこと。

17 面倒 ＝ □介
◎手数がかかりわずらわしいこと。

18 流浪 ＝ □泊
◎一定のところに留まらずさまようこと。

19 歴然 ＝ □著
◎はっきりしているさま。

20 朗報 ＝ □音
◎よい知らせ。

反　唐　布　安　沿　専　厄　漂　顕　福

へんこう

1 議題を**ヘンコウ**する。

2 教育の**ヘンコウ**を戒める。

かんげん

3 簡素な言葉で**カンゲン**する。

4 利益を社員に**カンゲン**する。

かんき

5 通行人に注意を**カンキ**する。

6 頻繁に教室の**カンキ**を行う。

7 優勝し**カンキ**に包まれる。

かてい

8 結果と同様に**カテイ**も大切だ。

9 **カテイ**の上で話す。

10 高等学校の**カテイ**を修了する。

---

1 変更
◎物事を決まっていたものとは違うものにすること。

2 偏向
◎思考がかたよっていること。

3 換言
◎別の言葉でいいかえること。

4 還元
◎もともとの状態に戻すこと。

5 喚起
◎呼びかけて自覚させること。

6 換気
◎空気を入れかえること。

7 歓喜
◎たいそうよろこぶこと。よろこび。

8 過程
◎あることにたどり着くまでの道筋。

9 仮定
◎不確かなことに、かりの説明をつけること。

10 課程
◎学校などで修得しなければならない学習内容。

かんよう

11 **カンヨウ**表現を覚える。

12 何事も忍耐が**カンヨウ**だ。

13 **カンヨウ**な態度で接する。

ふよう

14 景気が**フヨウ**する。

15 家族を**フヨウ**する。

16 **フヨウ**な服を処分する。

いよう

17 **イヨウ**な気配に目が覚めた。

18 富士山が**イヨウ**を誇る。

じゅよう

19 西洋の異文化を**ジュヨウ**する。

20 読者の**ジュヨウ**に応じる。

慣用
◎一般に広く使われていること。

肝要
◎非常に大切なこと。

寛容
◎心が広く、他人を厳しくとがめだてしないこと。

浮揚
◎うかびあがること。

扶養
◎生活を助け、やしなうこと。

不用
◎役に立たないもの。

異様
◎普通と変わったようす。

威容
◎いげんがあり堂々としている姿。「偉容」とも書く。

受容
◎うけ入れること。

需要
◎ひつようなものとして求めること。

いどう

1 文章の**イドウ**を調べる。

2 人事**イドウ**を発令する。

3 高気圧が**イドウ**する。

ふへん

4 **フヘン**の真理を求める。

5 **フヘン**の評価を得る。

6 **フヘン**不党を貫く。

しさい

7 教会の**シサイ**を務める。

8 すべてを**シサイ**に検証する。

そうけん

9 社員の**ソウケン**にかかっている。

10 **ソウケン**な心身を育む。

異同 ◎違っているところ。

異動 ◎立場や職務内容が変わること。

移動 ◎ある場所から他の場所へうごくこと。

普遍 ◎すべてのものに共通していること。

不変 ◎かわらないこと。

不偏 ◎かたよらないこと。

司祭 ◎キリスト教の聖職位の一つ。

子細 ◎こまかなこと。

双肩 ◎責任や義務を負うもの。

壮健 ◎けんこうで丈夫なこと。

きょうこう

11 **キョウコウ**な姿勢を示す。

12 **キョウコウ**の被害は大きい。

13 法案を**キョウコウ**に採決する。

けいしょう

14 王位を**ケイショウ**する。

15 未来に**ケイショウ**を鳴らす。

16 **ケイショウ**を省略する。

17 独特な**ケイショウ**をそなえる。

きょうせい

18 退去を**キョウセイ**する。

19 歯列を**キョウセイ**する。

20 人と自然が**キョウセイ**する。

---

11 強硬 ◎自分の主張を曲げないつよい態度。

12 恐慌 ◎経済がパニックに陥ること。

13 強行 ◎無理矢理におこなうこと。

14 継承 ◎受けつぐこと。

15 警鐘 ◎よくない事態が迫っていることを知らせるもの。

16 敬称 ◎人名や役職名の下につけ、相手をうやまう語。

17 形象 ◎かたち。外にあらわれている姿。

18 強制 ◎無理にさせること。

19 矯正 ◎欠点を直し、ただしくすること。

20 共生 ◎一緒に同じところでせいかつすること。

ちょうこく

1 仏像を**チョウコク**する。

2 苦悩を**チョウコク**する。

かんしょう

3 他国の問題に**カンショウ**する。

4 民族音楽を**カンショウ**する。

5 季節の花を**カンショウ**する。

6 **カンショウ**に浸る暇もない。

えんかく

7 会社の**エンカク**を調べる。

8 機械を**エンカク**から操作する。

えいい

9 歴史は人々の**エイイ**である。

10 実現に向け**エイイ**努力する。

彫刻

超克

干渉

鑑賞

観賞

感傷

沿革

遠隔

営為

鋭意

◎ほりきざんだもの。芸術の一種。

◎困難を乗り越え、それに打ち勝つこと。

◎立ち入って強引に自分に従わせようとすること。

◎芸術作品を味わうこと。

◎見て楽しむこと。

◎物事にかんじやすく、心をいためること。

◎物事の移り変わり。

◎とおく離れていること。

◎いとなみ。

◎そのことだけに集中し、努力すること。

けいとう

11 路線の**ケイトウ**を調べる。

12 伝統芸能に**ケイトウ**する。

けいせい

13 勝負の**ケイセイ**が逆転する。

14 快適な環境を**ケイセイ**する。

いりゅう

15 社長の辞任を**イリュウ**する。

16 **イリュウ**品を保管する。

えっけん

17 天皇に**エッケン**する。

18 立場を**エッケン**した行為。

けんえき

19 自国の**ケンエキ**を守る。

20 輸入食品を**ケンエキ**する。

系統

◎順を追って並び、まとまっていること。

傾倒

◎心を奪われ、それに熱中すること。

形勢

◎状況や力関係。

形成

◎かたち作ること。

慰留

◎相手をなだめて、思いとどまらせること。

遺留

◎置き忘れること。

謁見

◎地位や年齢が上の人と会うこと。

越権

◎けんげんをこえて行うこと。

権益

◎持っているけんりとそれに伴うりえき。

検疫

◎感染症を防ぐため、診断やけんさをすること。

おうしゅう

1 証拠品を**オウシュウ**する。

2 意見の**オウシュウ**が続く。

きんこう

3 勢力の**キンコウ**が崩れる。

4 大都市**キンコウ**を緑化する。

こくじ

5 投票の日時を**コクジ**する。

6 問題形式が**コクジ**している。

しゅこう

7 **シュコウ**を凝らしてもてなす。

8 彼の話には**シュコウ**しがたい。

こじ

9 推薦を**コジ**する。

10 自社の技術を**コジ**する。

押収 ◎捜査や裁判に必要なものをさしおさえること。

応酬 ◎やり返すこと。

均衡 ◎つりあいが取れているさま。

近郊 ◎市街地周辺の地域。

告示 ◎公的な機関が一般に向けて行う通知。

酷似 ◎たいそうにていること。

趣向 ◎おもむき。

首肯 ◎うなずくこと。

固辞 ◎かたくなに断ること。

誇示 ◎ほこらしげに見せびらかすこと。

こうせい

11 **コウセイ**な判断を下す。

12 **コウセイ**し社会に復帰する。

13 教訓を**コウセイ**に伝える。

しこう

14 民主国家の建設を**シコウ**する。

15 自治体が法令を**シコウ**する。

16 新装置を**シコウ**運転する。

17 **シコウ**の逸品が完成する。

きげん

18 漢字の**キゲン**を探る。

19 締め切りの**キゲン**が迫る。

20 上司の**キゲン**を損ねる。

公正　◎偏りのないこと。

更生　◎態度や心持ちを改善すること。

後世　◎のちの時代。

志向　◎こころざし、それに向かうこと。

施行　◎法令などの効力を発生させること。

試行　◎ためしにおこなうこと。

至高　◎最も優れていること。

起源　◎物事のはじまり。

期限　◎前もって決められた期間。

機嫌　◎気持ち。気分。

きょうい

1 核の**キョウイ**にさらされる。

2 **キョウイ**的な記録を樹立する。

きち

3 彼とは**キチ**の間柄だ。

4 **キチ**に富んだ会話を楽しむ。

いしょく

5 研究を助手に**イショク**する。

6 細胞を**イショク**する。

7 **イショク**な企画を立ち上げる。

きかん

8 **キカン**産業として発展する。

9 戦地から無事に**キカン**する。

10 運動**キカン**が発達する。

---

1 脅威

2 驚異

3 既知

4 機知

5 委嘱

6 移植

7 異色

8 基幹

9 帰還

10 器官

---

1 ◎力を見せつけ、おどし恐れさせること。

2 ◎予想しなかったできごとに対するおどろき。

3 ◎とっくにしっていること。

4 ◎時と場合に応じて鋭く反応できる能力。

5 ◎他の人に頼んで任せること。

6 ◎生物の一部を他の部位や別の個体にうつすこと。

7 ◎普通とはことなっているさま。

8 ◎物事のきそであり、中心となるもの。

9 ◎戻ってくること。故郷にかえり着くこと。

10 ◎組織が集まり、特定の機能や形態を持つもの。

せいさん

11 会社を**セイサン**する。

12 経費を**セイサン**する。

つつしむ

13 不用意な言動を**ツツシ**む。

14 **ツツシ**んで謝罪する。

たいせい

15 医療の**タイセイ**を整備する。

16 得意な**タイセイ**に持ち込む。

17 警戒**タイセイ**を強化する。

かんせい

18 **カンセイ**な住宅街に住む。

19 **カンセイ**の力を利用する。

20 豊かな**カンセイ**を育成する。

清算
◎法人が解散する際に財産などを整理すること。

精算
◎金額を綿密に計算すること。

慎
◎度を越すことのないよう控えめにすること。

謹
◎かしこまること。

体制
◎組織の構造。

体勢
◎からだの構え。

態勢
◎物事を処置するための構え。

閑静
◎しずかでひそやかなさま。

慣性
◎外力が加わらない限り、同じ運動状態を持続すること。

感性
◎物事を深く感じ取る力。

さんか

1 戦争の**サンカ**を伝える。

2 企業を**サンカ**に収める。

てんか

3 言葉の意味が**テンカ**する。

4 部下に責任を**テンカ**する。

きこう

5 植物の**キコウ**を観察する。

6 **キコウ**文を執筆する。

7 論文を**キコウ**する。

8 国の**キコウ**を正す。

9 ある情報**キコウ**に加盟する。

10 海外の客船が**キコウ**する。

---

1 惨禍
◎いたましい災難。

2 傘下
◎大きな勢力のもとで支配を受けること。

3 転化
◎変わっていくこと。

4 転嫁
◎他人に負わせること。

5 気孔
◎表皮の細胞の間にある、小さなすきま。

6 紀行
◎旅行中の体験や見聞きしたことを綴った文章。

7 寄稿
◎文書を作って送ること。

8 紀綱
◎国を治める上で、おおもととなるきまり。

9 機構
◎会社や団体などの組織。

10 寄港
◎航海途中の船がみなとに立ちよること。

せいさい

11 **セイサイ**に描写する。

12 動きに**セイサイ**を欠く。

いこう

13 十時**イコウ**に到着する。

14 相手の**イコウ**を踏まえる。

15 ひときわ**イコウ**を放つ人物。

けんとう

16 善後策を**ケントウ**する。

17 強敵を相手に**ケントウ**する。

18 およその**ケントウ**をつける。

たんせい

19 **タンセイ**な町並みを堪能する。

20 **タンセイ**を込めて花を育てる。

精細 ◎こまかく詳しいこと。

精彩 ◎鮮やかで生き生きとしていること。

以降 ◎ある時点から後。

意向 ◎思うところ。考え。

威光 ◎人に敬われるような厳かな雰囲気。

検討 ◎物事を詳しく調べ、考えること。

健闘 ◎最後まであきらめず努力すること。

見当 ◎大まかな予想。みこみ。

端正 ◎乱れがなくととのっていること。「端整」とも書く。

丹精 ◎偽りのない真実の心。

とうき

1 所有地を**トウキ**する。

2 資本金を**トウキ**する。

3 物価の**トウキ**を招く。

かんしゅう

4 悪しき**カンシュウ**を打ち破る。

5 学習参考書を**カンシュウ**する。

6 **カンシュウ**を魅了する絵画。

ふしん

7 母屋を**フシン**する。

8 **フシン**な人物に遭遇する。

9 食欲**フシン**に陥る。

10 仲直りに**フシン**する。

登記　投機　騰貴

慣習　監修　観衆

普請　不審　不振　腐心

◎権利に関する事項を公示するために、きろくすること。

◎損失の危険を冒してでも利益を得ようとする行為。

◎物品の取り引き価格が上がること。

◎ある社会や集団の中で、昔から認められているやり方。

◎著述や編集に関して指図をし、取り仕切ること。

◎見物に集まった大勢の客。

◎家を建てること。

◎疑わしく怪しいこと。

◎勢いが盛んでないこと。

◎こころを痛め悩ますこと。

きせい

11 試合前に**キセイ**を上げる。

12 他人に**キセイ**して生きる。

13 自由な行動を**キセイ**する。

14 友人と会うために**キセイ**する。

15 **キセイ**の美意識を排除する。

けいき

16 新商品が発展の**ケイキ**になる。

17 重大事件が**ケイキ**する。

かいこ

18 幼少期を**カイコ**する。

19 従業員を**カイコ**する。

20 **カイコ**趣味な作品。

気勢　寄生　規制　帰省　既成

契機　継起

回顧　解雇　懐古

◎あることをしようと張り切る気持ち。

◎自力ではなく、他に頼ってせいかつすること。

◎きそくによって物事をせいげんすること。

◎故郷にかえること。

◎すでにできあがっていること。

◎きっかけ。

◎物事が続いて起こること。

◎過去をかえりみること。

◎使用者が使用人を一方的にやめさせること。

◎昔のことが思い出され、心がひかれること。

こうしょう

1 **コウショウ**な話題は必要ない。

2 歴史を**コウショウ**する。

3 昔話を**コウショウ**する。

かいしん

4 説教を受け**カイシン**する。

5 **カイシン**の一撃を放つ。

6 二次災害に備え**カイシン**する。

しじ

7 新しい政権を**シジ**する。

8 有名な指導者に**シジ**する。

はくちゅう

9 評価が**ハクチュウ**している。

10 **ハクチュウ**の街を歩く。

高尚
◎気高いこと。

考証
◎古い書物について、文献などで実証的に研究すること。

口承
◎くちづてに伝えること。

改心
◎反省し、考え方などをあらためること。

会心
◎望み通りになること。

戒心
◎気をゆるさず、注意を怠らないこと。

支持
◎他人の考え方に賛同し、応援すること。

師事
◎先生として仰ぎ、教えを受けること。

伯仲
◎たいそう似かよっていて差がないこと。

白昼
◎日が高い時間帯。日中。

しふく

11 長年の**シフク**を経て開花する。

12 立場を利用し**シフク**を肥やす。

13 **シフク**の時を過ごす。

しんこう

14 **シンコウ**財閥が力を強める。

15 産業の**シンコウ**を図る。

16 会議は**シンコウ**にまで及んだ。

はき

17 協定を正式に**ハキ**する。

18 選手に**ハキ**がみなぎる。

しゅうち

19 規則を**シュウチ**させる。

20 **シュウチ**を集めて解決する。

雌伏
◎自分が活躍する機会を待ちながら、他人に従うこと。

私腹
◎自分のもうけ。

至福
◎最高の幸せ。

新興
◎あたらしい勢力が盛んになること。

振興
◎物事が繁栄すること。

深更
◎夜ふけ。

破棄
◎約束したことを一方的になかったことにすること。

覇気
◎進んで物事に取り組もうとするきもち。

周知
◎広くしれ渡っていること。

衆知
◎大勢の人のちえ。

たいしょう

1 左右**タイショウ**の建造物。
2 受験生を**タイショウ**にした本。
3 好**タイショウ**の作品を読む。

ほしょう

4 利益を**ホショウ**する。
5 航路の安全を**ホショウ**する。
6 損失を**ホショウ**する。

せいこう

7 面接で**セイコウ**をみる。
8 **セイコウ**に作られた人形。

かんか

9 この問題は**カンカ**できない。
10 友人の奮闘に**カンカ**される。

---

1 対称
◎互いに応対してつり合うこと。シンメトリー。

2 対象
◎距離をおいて客観的にとらえたもの。オブジェクト。

3 対照
◎反対のものと比べ合わせること。コントラスト。

4 保証
◎まちがいなく大丈夫だと請け合うこと。

5 保障
◎責任を持って、一定の地位や状態をたもつこと。

6 補償
◎損害を金銭などで埋め合わせること。

7 性向
◎もともと備わっている気質のけいこう。

8 精巧
◎細かな点まで行き届いていて、よくできていること。

9 看過
◎そのまま放っておいてみすごすこと。

10 感化
◎考え方や言動で影響を与え、気持ちを変えさせること。

こうりょう

11 **コウリョウ**の締め切りが迫る。

12 各政党の**コウリョウ**を読む。

13 **コウリョウ**とした街に暮らす。

ひっし

14 **ヒッシ**の形相で訴える。

15 大臣の失脚は**ヒッシ**だ。

ふきゅう

16 教育が**フキュウ**する。

17 **フキュウ**の名曲を鑑賞する。

そうい

18 両者の主張には**ソウイ**がある。

19 **ソウイ**に富んだ研究を行う。

20 国民の**ソウイ**を尊重する。

校了
◎文字や文章の誤りを正す作業が終わること。

綱領
◎物事の基本的なところ。要点。

荒涼
◎風景や精神が荒れ果てて、すさんでいるさま。

必死
◎しにものぐるいなさま。

必至
◎かならずそうなること。

普及
◎広く一般に行き渡ること。

不朽
◎廃れることなくいつまでも残ること。

相違
◎ちがっている点があること。「相異」とも書く。

創意
◎他と異なる新しい考え。

総意
◎全体のいけん。

ぼうちょう

1 軍事費が**ボウチョウ**する。

膨張

◎ふくれあがること。増大すること。

2 裁判を**ボウチョウ**する。

傍聴

◎その場で発言することなく、ただ静かにきくこと。

かくしん

3 味方の勝利を**カクシン**する。

確信

◎必ずそうなると、しんじて疑わないこと。

4 経営**カクシン**に取り組む。

革新

◎現状を変え、新しいものを作り出そうとすること。

5 論理の**カクシン**をつく。

核心

◎物事の重要な部分。

さいこう

6 予算の**サイコウ**を求める。

再考

◎もう一度かんがえること。

7 航空事業の**サイコウ**を図る。

再興

◎ふたたび勢いが盛んになること。

8 窓を大きくし**サイコウ**する。

採光

◎日のひかりを室内にとり入れること。

ひそう

9 **ヒソウ**な歴史解釈を排除する。

皮相

◎表面的なことのみで判断し、本質に至らないこと。

10 **ヒソウ**な覚悟で臨む。

悲壮

◎いたましいほど雄雄しいさま。

ようせい

11 語学力を**ヨウセイ**する。

12 社会の**ヨウセイ**に応える。

13 **ヨウセイ**した天才作家。

しゅうせい

14 法案を**シュウセイ**する。

15 動物の**シュウセイ**を調査する。

16 彼は**シュウセイ**海辺に住んだ。

めいき

17 実施の時期を**メイキ**する。

18 恩師の言葉を**メイキ**する。

しょうそう

19 決定するには**ショウソウ**だ。

20 チームに**ショウソウ**が募る。

養成 ◎育みせいちょうさせること。

要請 ◎強く求めること。

夭逝 ◎若くして死ぬこと。

修正 ◎不備があるところをただしく直すこと。

習性 ◎それぞれの種に見られる特有の性質。

終生 ◎命が終わるまでの間。

明記 ◎はっきり分かるようにしるすこと。

銘記 ◎忘れないように深く心にきざむこと。

尚早 ◎時期がはやすぎること。

焦燥 ◎あせること。

1 曖《あい》昧《まい》模《も》糊《こ》

物事がはっきりせず、ぼんやりしていること。

2 悪《あっ》口《こう》雑《ぞう》言《ごん》

様々な悪口をいうこと。

3 意《い》気《き》投《とう》合《ごう》

気持ちがあい、仲良くなること。

4 異《い》口《く》同《どう》音《おん》

多くの人の意見が一致すること。

5 以《い》心《しん》伝《でん》心《しん》

言葉を使わなくても思いが通じ合うこと。

6 一《いち》期《ご》一《いち》会《え》

一生に一度きりであること。

7 一《いち》日《じつ》千《せん》秋《しゅう》

待ち遠しく思うこと。

8 一《いち》網《もう》打《だ》尽《じん》

いちみの者を、いちどにすべて捕らえること。

9 一《いっ》喜《き》一《いち》憂《ゆう》

状況の変化に応じて、よろこんだり心配したりすること。

10 一《いっ》騎《き》当《とう》千《せん》

ひとりで大勢の敵を相手にできるほどの強さであること。

11

一《いっ》朝《ちょう》一《いっ》夕《せき》

わずかな時間。

12

威《い》風《ふう》堂《どう》堂《どう》

態度や雰囲気が堂々としていて立派なさま。

13

意《い》味《み》深《しん》長《ちょう》

意味がふかく含蓄があること。

14

因《いん》果《が》応《おう》報《ほう》

行いの善悪に応じて、その報いが現れること。

15

慇《いん》懃《ぎん》無《ぶ》礼《れい》

表面上は丁寧だが、実際は尊大であること。

16

有《う》為《い》転《てん》変《ぺん》

世の中の移り変わりが激しいこと。

17

右《う》往《おう》左《さ》往《おう》

あちらへ行ったりこちらへ行ったりと混乱している状態。

18

紆《う》余《よ》曲《きょく》折《せつ》

事情が込み入っていて順調に進まないこと。

19

雲《うん》散《さん》霧《む》消《しょう》

物事が消えてなくなること。

20

栄《えい》枯《こ》盛《せい》衰《すい》

盛んになったりおとろえたりすること。

1 温《おん》故《こ》知《ち》新《しん》

古いことを研究し、そこからあたらしい知識を得ること。

2 快《かい》刀《とう》乱《らん》麻《ま》

こじれている物事を鮮やかに処理すること。

3 花《か》鳥《ちょう》風《ふう》月《げつ》

自然の美しい風景や、それを楽しむ風流な遊び。

4 隔《かっ》靴《か》掻《そう》痒《よう》

思い通りにいかなくて、もどかしいこと。

5 我《が》田《でん》引《いん》水《すい》

自分に都合がいいように取り計らうこと。

6 換《かん》骨《こつ》奪《だっ》胎《たい》

すでにある作品を摸倣して、新しい作品につくりかえること。

7 勧《かん》善《ぜん》懲《ちょう》悪《あく》

善い行いをすすめ、悪事をこらしめること。

8 起《き》死《し》回《かい》生《せい》

絶望的な状況に陥っているものを立ち直らせること。

9 疑《ぎ》心《しん》暗《あん》鬼《き》

なんでもないことまでも、うたがわしく恐ろしく感じること。

10 喜《き》怒《ど》哀《あい》楽《らく》

さまざまな人間の感情。

11

旧《きゅう》態《たい》依《い》然《ぜん》

昔のままで進歩のないこと。

12

狂《きょう》喜《き》乱《らん》舞《ぶ》

小躍りするほどよろこぶこと。

13

驚《きょう》天《てん》動《どう》地《ち》

世間をたいそうおどろかせること。

14

興《きょう》味《み》津《しん》津《しん》

興味が次々にわいてきて尽きないさま。

15

玉《ぎょく》石《せき》混《こん》交《こう》

優れたものとつまらないものが入り混じっていること。

16

金《きん》科《か》玉《ぎょく》条《じょう》

必ず守らなければならない最も重要なきまり。

17

謹《きん》厳《げん》実《じっ》直《ちょく》

慎み深くまじめなこと。

18

空《くう》前《ぜん》絶《ぜつ》後《ご》

とても珍しいこと。

19

群《ぐん》雄《ゆう》割《かっ》拠《きょ》

英雄たちが各地に勢力を張り、争うこと。

20

権《けん》謀《ぼう》術《じゅっ》数《すう》

巧みに人をだますための策略。

1

巧《こう》言《げん》令《れい》色《しょく》

口先がうまく、相手にこびへつらうこと。

2

荒《こう》唐《とう》無《む》稽《けい》

根拠がなく、現実性のないこと。

3

呉《ご》越《えつ》同《どう》舟《しゅう》

敵味方が、共通の困難を解決するために協力すること。

4

虎《こ》視《し》眈《たん》眈《たん》

機会をねらって様子をうかがうこと。

5

小《こ》春《はる》日《び》和《より》

初冬の頃の、はるのような暖かい天気。

6

五《ご》里《り》霧《む》中《ちゅう》

手がかりがつかめず、方針や見込みが立たないこと。

7

言《ごん》語《ご》道《どう》断《だん》

言葉で言い表せないほどひどいこと。

8

山《さん》紫《し》水《すい》明《めい》

山や川などの景色が美しいこと。

9

自《じ》画《が》自《じ》賛《さん》

自分で自分をほめること。

10

自《じ》業《ごう》自《じ》得《とく》

自分の行いの結果を自分で受けること。

11

時《じ》時《じ》刻《こっ》刻《こく》

じかんを追って。

12

自《じ》縄《じょう》自《じ》縛《ばく》

自分の言動のために動きが取れなくなり、苦しむこと。

13

自《じ》暴《ぼう》自《じ》棄《き》

自分を粗末に扱い、投げやりになること。

14

四《し》面《めん》楚《そ》歌《か》

味方がおらず孤立すること。

15

縦《じゅう》横《おう》無《む》尽《じん》

自由自在に物事を行うこと。

16

重《じゅう》厚《こう》長《ちょう》大《だい》

どっしりとしていること。

17

周《しゅう》章《しょう》狼《ろう》狽《ばい》

あわてたりうろたえたりして騒ぐこと。

18

首《しゅ》尾《び》一《いっ》貫《かん》

終始、ひとつの方針をつらぬくこと。

19

順《じゅん》風《ぷう》満《まん》帆《ぱん》

物事が調子よく思い通りに運ぶこと。

20

正《しょう》真《しん》正《しょう》銘《めい》

嘘偽りがなく本物であること。

1 枝《し》葉《よう》末《まっ》節《せつ》

中心から外れた、つまらなく細かい事柄。

2 心《しん》機《き》一《いっ》転《てん》

あるきっかけで気持ちがすっかり変わること。

3 神《しん》出《しゅつ》鬼《き》没《ぼつ》

自由自在に出没し、居所がつかめないこと。

4 針《しん》小《しょう》棒《ぼう》大《だい》

ちいさなことを大げさに言うこと。

5 深《しん》謀《ぼう》遠《えん》慮《りょ》

遠く先のことまで考えてはかりごとをすること。

6 晴《せい》耕《こう》雨《う》読《どく》

田園でひっそりと自由に暮らすこと。

7 絶《ぜっ》体《たい》絶《ぜつ》命《めい》

危険や困難から逃れられない、のっぴきならない状態。

8 千《せん》載《ざい》一《いち》遇《ぐう》

またとない出会い。

9 前《ぜん》代《だい》未《み》聞《もん》

今までに聞いたこともないこと。

10 粗《そ》製《せい》濫《らん》造《ぞう》

質の悪い品物ばかりやたらにつくること。

11

大《たい》器《き》晩《ばん》成《せい》

大人物は、月日が経ってからすぐれた人になること。

12

大《たい》義《ぎ》名《めい》分《ぶん》

人として守るべきこと。

13

大《たい》言《げん》壮《そう》語《ご》

実力以上に大きなことを言うこと。

14

単《たん》刀《とう》直《ちょく》入《にゅう》

前置きなしに直接本題に入ること。

15

直《ちょく》情《じょう》径《けい》行《こう》

自分の感情のままに話したり動いたりすること。

16

徹《てっ》頭《とう》徹《てつ》尾《び》

はじめから終わりまで。あくまで。

17

電《でん》光《こう》石《せっ》火《か》

行動が非常に速いこと。

18

天《てん》真《しん》爛《らん》漫《まん》

ありのままをさらけ出し、無邪気であるさま。

19

当《とう》意《い》即《そく》妙《みょう》

その場にぴったりのすばやい対応をすること。

20

同《どう》工《こう》異《い》曲《きょく》

見かけは違うが内容はおなじであること。

1

東《とう》奔《ほん》西《せい》走《そう》

仕事や用事のため、あちこちを忙しく走り回ること。

2

二《に》束《そく》三《さん》文《もん》

数が多くても値段が非常に安いこと。

3

日《にっ》進《しん》月《げっ》歩《ぽ》

とどまることなく進歩すること。

4

二《に》律《りつ》背《はい》反《はん》

正しいと思われる二つのことが、論理的に両立しないこと。

5

馬《ば》耳《じ》東《とう》風《ふう》

人の意見や批判を心に留めず、聞き流すこと。

6

美《び》辞《じ》麗《れい》句《く》

巧みに飾られた内容のない言葉。

7

付《ふ》和《わ》雷《らい》同《どう》

決まった見識がなく、むやみに他人の説に従うこと。

8

粉《ふん》骨《こつ》砕《さい》身《しん》

一生懸命に努力すること。

9

傍《ぼう》若《じゃく》無《ぶ》人《じん》

人を人と思わず、勝手にふるまうこと。

10

本《ほん》末《まつ》転《てん》倒《とう》

重要なこととささいなこととを取り違えること。

11

無《む》我《が》夢《む》中《ちゅう》

あることに心を奪われ、我を忘れてしまうこと。

12

明《めい》鏡《きょう》止《し》水《すい》

心が澄みきっていて落ち着いているさま。

13

面《めん》従《じゅう》腹《ふく》背《はい》

表面ではしたがうように見せ、内心では反抗すること。

14

有《ゆう》職《そく》故《こ》実《じつ》

朝廷や武家の古来からのきまりやしきたり。

15

用《よう》意《い》周《しゅう》到《とう》

手抜かりなく用意すること。

16

離《り》合《ごう》集《しゅう》散《さん》

はなれたり集まったりすること。

17

流《りゅう》言《げん》飛《ひ》語《ご》

世間に広がるでたらめなうわさ。

18

竜《りゅう》頭《とう》蛇《だ》尾《び》

はじめは盛んで、終わりが奮わないこと。

19

理《り》路《ろ》整《せい》然《ぜん》

物事の筋道が通っているさま。

20

臨《りん》機《き》応《おう》変《へん》

変化に応じて、適切な手段を施すこと。

大学入試 論理でわかる現代文 基礎編

入試現代文「頻出ジャンル別」の対策編！
評論・小説・随想の読解法を基礎から入試対策まで学習できる1冊！

現代文はセンスや感覚で解くのではなく、「論理＝日本語の正しい規則」にしたがって読み解きます。本書をマスターして、現代文のルールを知り論理的な解き方を訓練すれば、初めて見る文章でも高得点が可能になります！

● 本体価格 ● 1300円

大学入試 論理でわかる現代文 発展編

入試現代文「出題形式別」の対策編！
マークセンス方式・超長文問題・記述式問題を論理的に読み解くための必読書！

正しい論理的読解法が身につけば、どんな出題形式でも確実に得点できる。制限時間内で正確に内容を読み取り、読み取った内容を根拠に設問に答え、記述式の解答も筋道を立てて作成できるようになります！

● 本体価格 ● 1300円

□	不慮	ふりょ	79
□	分割	ぶんかつ	88
□	紛糾	ふんきゅう	67
□	平生	へいぜい	76
□	偏在	へんざい	67
□	帽子	ぼうし	88
□	葬る	ほうむる	65
□	木刀	ぼくとう	88
□	反故	ほご	65
□	勃発	ぼっぱつ	65
□	真面目	まじめ	69
□	抹消	まっしょう	71
□	全う	まっとう	69
□	惑う	まどう	76
□	稀	まれ	71
□	満面	まんめん	88
□	眉間	みけん	88
□	妙薬	みょうやく	88
□	迎える	むかえる	77
□	無垢	むく	65
□	報いる	むくいる	69
□	無頓着	むとんちゃく	71
□	虚しい	むなしい	88
□	明晰	めいせき	77
□	免疫	めんえき	65
□	猛然	もうぜん	88
□	朦朧	もうろう	88
□	弄ぶ	もてあそぶ	66
□	催す	もよおす	66
□	和らぐ	やわらぐ	89
□	唯一	ゆいいつ	69
□	由緒	ゆいしょ	66
□	遊説	ゆうぜい	89
□	所以	ゆえん	66
□	歪む	ゆがむ	67
□	遊山	ゆさん	89
□	由来	ゆらい	60
□	養蚕	ようさん	89
□	寄席	よせ	89
□	拠る	よる	71
□	来賓	らいひん	89
□	離脱	りだつ	77
□	流暢	りゅうちょう	77
□	累計	るいけい	69
□	瑠璃	るり	89
□	隷属	れいぞく	66
□	老翁	ろうおう	89
□	狼狽	ろうばい	89
□	歪曲	わいきょく	77
□	湧く	わく	89

＊この「チェックテスト」は、148ページから始まります。

□	度外視	どがいし	86
□	咎める	とがめる	76
□	匿名	とくめい	64
□	途絶える	とだえる	68
□	滞る	とどこおる	76
□	虜	とりこ	86
□	奴隷	どれい	79
□	名残	なごり	71
□	睨む	にらむ	86
□	捏造	ねつぞう	64
□	覗く	のぞく	69
□	罵る	ののしる	71
□	育む	はぐくむ	64
□	拍車	はくしゃ	64
□	刷毛	はけ	86
□	励む	はげむ	69
□	外す	はずす	71
□	破綻	はたん	64
□	溌剌	はつらつ	76
□	万感	ばんかん	86
□	繁盛	はんじょう	87
□	反芻	はんすう	64
□	範疇	はんちゅう	64
□	氾濫	はんらん	76
□	贔屓	ひいき	87
□	彼岸	ひがん	76
□	美醜	びしゅう	87
□	密か	ひそか	69
□	潜む	ひそむ	65
□	浸る	ひたる	66
□	畢竟	ひっきょう	65
□	逼迫	ひっぱく	65
□	単衣	ひとえ	87
□	罷免	ひめん	79
□	翻す	ひるがえす	67
□	瓶	びん	87
□	分厚い	ぶあつい	87
□	風刺	ふうし	76
□	風聞	ふうぶん	87
□	敷衍	ふえん	65
□	福音	ふくいん	87
□	伏線	ふくせん	79
□	塞ぐ	ふさぐ	87
□	風情	ふぜい	65
□	敷設	ふせつ	71
□	縁	ふち	87
□	吹雪	ふぶき	88
□	訃報	ふほう	71
□	踏む	ふむ	76
□	舞踊	ぶよう	76

☐ 辛辣	しんらつ	63		☐ 大抵	たいてい	79
☐ 据える	すえる	70		☐ 耕す	たがやす	85
☐ 棲む	すむ	70		☐ 卓抜	たくばつ	79
☐ 刷る	する	84		☐ 蛇行	だこう	85
☐ 素性	すじょう	74		☐ 讃える	たたえる	85
☐ 廃れる	すたれる	85		☐ 辿る	たどる	64
☐ 精緻	せいち	63		☐ 賜物	たまもの	85
☐ 脊椎	せきつい	85		☐ 堪能	たんのう	75
☐ 寂寥	せきりょう	63		☐ 知悉	ちしつ	64
☐ 施錠	せじょう	79		☐ 血眼	ちまなこ	68
☐ 是正	ぜせい	68		☐ 治癒	ちゆ	79
☐ 切実	せつじつ	66		☐ 鳥瞰図	ちょうかんず	75
☐ 刹那	せつな	63		☐ 長兄	ちょうけい	86
☐ 狭める	せばめる	85		☐ 澄明	ちょうめい	64
☐ 是非	ぜひ	74		☐ 跳梁	ちょうりょう	75
☐ 戦慄	せんりつ	63		☐ 治療	ちりょう	75
☐ 騒騒しい	そうぞうしい	85		☐ 追悼	ついとう	75
☐ 草履	ぞうり	75		☐ 追認	ついにん	86
☐ 即応	そくおう	75		☐ 都度	つど	68
☐ 齟齬	そご	75		☐ 繋がる	つながる	86
☐ 素行	そこう	85		☐ 募る	つのる	68
☐ 即効	そっこう	68		☐ 詳らか	つまびらか	75
☐ 素描	そびょう	85		☐ 丁重	ていちょう	75
☐ 算盤	そろばん	71		☐ 吐息	といき	86
☐ 待遇	たいぐう	66		☐ 尊ぶ	とうと(たっと)ぶ	86

□ 軽侮	けいぶ	83
□ 啓蒙	けいもう	62
□ 戯作	げさく	62
□ 化身	けしん	83
□ 獣	けもの	83
□ 減殺	げんさい	83
□ 絢爛	けんらん	62
□ 豪華	ごうか	83
□ 興行	こうぎょう	83
□ 高尚	こうしょう	83
□ 巧拙	こうせつ	62
□ 傲慢	ごうまん	62
□ 石高	こくだか	78
□ 快い	こころよい	83
□ 梢	こずえ	70
□ 小競り合い	こぜりあい	78
□ 声高	こわだか	78
□ 権化	ごんげ	78
□ 今生	こんじょう	79
□ 混沌	こんとん	73
□ 細工	さいく	84
□ 最期	さいご	84
□ 催涙	さいるい	84
□ 些細	ささい	62
□ 颯爽	さっそう	74
□ 雑駁	ざっぱく	74
□ 妨げる	さまたげる	74
□ 懺悔	ざんげ	62
□ 斬新	ざんしん	70
□ 強いる	しいる	74
□ 直筆	じきひつ	84
□ 鎮める	しずめる	62
□ 市井	しせい	62
□ 次第	しだい	84
□ 躾	しつけ	79
□ 失言	しつげん	84
□ 執拗	しつよう	63
□ 終焉	しゅうえん	63
□ 執念	しゅうねん	74
□ 蹂躙	じゅうりん	63
□ 収斂	しゅうれん	74
□ 呪術	じゅじゅつ	70
□ 衆生	しゅじょう	74
□ 遵守	じゅんしゅ	74
□ 小康	しょうこう	84
□ 饒舌	じょうぜつ	63
□ 尚早	しょうそう	84
□ 所作	しょさ	63
□ 如才	じょさい	84
□ 審議	しんぎ	69

☐ 貶める	おとしめる	77		☐ 陥穽	かんせい	61
☐ 自ずから	おのずから	81		☐ 感応	かんのう	78
☐ 夥しい	おびただしい	61		☐ 感涙	かんるい	73
☐ 諧謔	かいぎゃく	72		☐ 幾何学	きかがく	68
☐ 解釈	かいしゃく	81		☐ 刻む	きざむ	73
☐ 快諾	かいだく	82		☐ 擬似	ぎじ	73
☐ 垣間見る	かいまみる	82		☐ 起床	きしょう	68
☐ 皆目	かいもく	67		☐ 帰趨	きすう	61
☐ 乖離	かいり	61		☐ 几帳面	きちょうめん	78
☐ 省みる	かえりみる	72		☐ 吉兆	きっちょう	82
☐ 家屋	かおく	78		☐ 祈祷	きとう	82
☐ 抱える	かかえる	66		☐ 踵	きびす(かかと)	78
☐ 掲げる	かかげる	82		☐ 欺瞞	ぎまん	61
☐ 格納	かくのう	82		☐ 及第	きゅうだい	78
☐ 河岸	かし	82		☐ 狭隘	きょうあい	73
☐ 加勢	かせい	68		☐ 胸襟	きょうきん	68
☐ 頑な	かたくな	70		☐ 強靭	きょうじん	82
☐ 傍ら	かたわら	61		☐ 形相	ぎょうそう	82
☐ 適う	かなう	72		☐ 禁忌	きんき	73
☐ 奏でる	かなでる	73		☐ 孔雀	くじゃく	83
☐ 要	かなめ	82		☐ 曲者	くせもの	83
☐ 醸す	かもす	73		☐ 口伝	くでん	78
☐ 伽藍	がらん	73		☐ 供養	くよう	66
☐ 為替	かわせ	70		☐ 敬虔	けいけん	61
☐ 含羞	がんしゅう	73		☐ 迎合	げいごう	62

□	哀悼	あいとう	77
□	煽る	あおる	72
□	挙句	あげく	80
□	欺く	あざむく	60
□	鮮やか	あざやか	72
□	焦る	あせる	80
□	軋轢	あつれき	60
□	溢れる	あふれる	67
□	網	あみ	67
□	操る	あやつる	60
□	著す	あらわす	80
□	慌てる	あわてる	67
□	安堵	あんど	60
□	塩梅	あんばい	70
□	異形	いぎょう	80
□	幾多	いくた	80
□	生垣	いけがき	80
□	威厳	いげん	72
□	居心地	いごこち	67
□	潔い	いさぎよい	60
□	位相	いそう	80
□	徒に	いたずらに	60
□	著しい	いちじるしい	60
□	一途	いちず	70
□	一瞥	いちべつ	70
□	一抹	いちまつ	60
□	銀杏	いちょう	72
□	一対	いっつい	80
□	忌む	いむ	80
□	所謂	いわゆる	60
□	慇懃	いんぎん	72
□	隠蔽	いんぺい	61
□	有頂天	うちょうてん	80
□	鬱蒼	うっそう	72
□	虚ろ	うつろ	77
□	雨滴	うてき	81
□	疎い	うとい	81
□	促す	うながす	61
□	産声	うぶごえ	81
□	羨む	うらやむ	69
□	潤む	うるむ	81
□	永劫	えいごう	61
□	詠嘆	えいたん	81
□	烏帽子	えぼし	77
□	円錐	えんすい	77
□	押印	おういん	67
□	往生	おうじょう	81
□	横暴	おうぼう	81
□	大袈裟	おおげさ	72
□	大雑把	おおざっぱ	81

☐ 冒頭	ぼうとう	24		☐ 厄介	やっかい	25
☐ 捕獲	ほかく	24		☐ 躍起	やっき	25
☐ 保護	ほご	57		☐ 雇う	やとう	44
☐ 発端	ほったん	43		☐ 遊戯	ゆうぎ	44
☐ 没頭	ぼっとう	43		☐ 悠久	ゆうきゅう	25
☐ 施す	ほどこす	43		☐ 融通	ゆうずう	44
☐ 誉れ	ほまれ	57		☐ 余韻	よいん	44
☐ 翻訳	ほんやく	43		☐ 要請	ようせい	25
☐ 埋没	まいぼつ	44		☐ 抑止	よくし	45
☐ 紛れる	まぎれる	44		☐ 抑揚	よくよう	25
☐ 摩擦	まさつ	24		☐ 余裕	よゆう	45
☐ 漫然	まんぜん	24		☐ 隆盛	りゅうせい	45
☐ 脈絡	みゃくらく	25		☐ 輪郭	りんかく	45
☐ 魅了	みりょう	25		☐ 臨床	りんしょう	57
☐ 無邪気	むじゃき	44		☐ 類似	るいじ	45
☐ 矛盾	むじゅん	25		☐ 類推	るいすい	45
☐ 猛威	もうい	44		☐ 流布	るふ	45
☐ 妄想	もうそう	57		☐ 礼儀	れいぎ	45
☐ 目撃	もくげき	44		☐ 連鎖	れんさ	57
☐ 模索	もさく	25		☐ 浪費	ろうひ	57
☐ 模範	もはん	25		☐ 露呈	ろてい	45
☐ 模倣	もほう	44		☐ 煩わしい	わずらわしい	45

□	臨む	のぞむ	41
□	把握	はあく	41
□	媒介	ばいかい	41
□	輩出	はいしゅつ	56
□	排除	はいじょ	41
□	媒体	ばいたい	22
□	配慮	はいりょ	22
□	暴露	ばくろ	22
□	派遣	はけん	42
□	発揮	はっき	22
□	波紋	はもん	22
□	範囲	はんい	22
□	磐石	ばんじゃく	56
□	繁殖	はんしょく	22
□	繁茂	はんも	23
□	比較	ひかく	56
□	率いる	ひきいる	57
□	微細	びさい	23
□	悲惨	ひさん	23
□	皮相	ひそう	23
□	匹敵	ひってき	42
□	皮膚	ひふ	42
□	微妙	びみょう	23
□	飛躍	ひやく	42
□	漂白	ひょうはく	42

□	披露	ひろう	42
□	疲労	ひろう	57
□	敏感	びんかん	23
□	頻繁	ひんぱん	42
□	普及	ふきゅう	42
□	不朽	ふきゅう	57
□	付随	ふずい	42
□	不断	ふだん	42
□	復興	ふっこう	43
□	雰囲気	ふんいき	43
□	憤慨	ふんがい	23
□	紛争	ふんそう	23
□	平穏	へいおん	23
□	隔てる	へだてる	23
□	変革	へんかく	43
□	便宜	べんぎ	24
□	変容	へんよう	24
□	萌芽	ほうが	43
□	崩壊	ほうかい	24
□	妨害	ぼうがい	24
□	包括	ほうかつ	24
□	忘却	ぼうきゃく	43
□	冒険	ぼうけん	57
□	報酬	ほうしゅう	24
□	膨大	ぼうだい	43

☐ 中枢	ちゅうすう	39		☐ 統率	とうそつ	55
☐ 兆候	ちょうこう	39		☐ 到達	とうたつ	21
☐ 彫刻	ちょうこく	39		☐ 唐突	とうとつ	21
☐ 跳躍	ちょうやく	21		☐ 逃避	とうひ	21
☐ 潮流	ちょうりゅう	39		☐ 動揺	どうよう	56
☐ 貯蓄	ちょちく	55		☐ 同僚	どうりょう	40
☐ 沈滞	ちんたい	39		☐ 当惑	とうわく	56
☐ 陳腐	ちんぷ	39		☐ 特異	とくい	40
☐ 追随	ついずい	39		☐ 突如	とつじょ	56
☐ 培う	つちかう	39		☐ 吐露	とろ	21
☐ 摘む	つむ	55		☐ 徒労	とろう	56
☐ 停滞	ていたい	39		☐ 眺める	ながめる	40
☐ 丁寧	ていねい	40		☐ 納得	なっとく	41
☐ 的確	てきかく	21		☐ 慣れる	なれる	56
☐ 適合	てきごう	53		☐ 担う	になう	41
☐ 撤去	てっきょ	40		☐ 鈍い	にぶい	56
☐ 徹底	てってい	21		☐ 如実	にょじつ	41
☐ 転嫁	てんか	21		☐ 認識	にんしき	56
☐ 添加	てんか	40		☐ 縫う	ぬう	41
☐ 展開	てんかい	55		☐ 念頭	ねんとう	41
☐ 転換	てんかん	21		☐ 濃厚	のうこう	41
☐ 転倒	てんとう	40		☐ 濃淡	のうたん	21
☐ 投影	とうえい	40		☐ 濃密	のうみつ	22
☐ 洞察	どうさつ	40		☐ 脳裏	のうり	22
☐ 陶酔	とうすい	40		☐ 載せる	のせる	22

□ 扇動	せんどう	54
□ 鮮明	せんめい	54
□ 専門	せんもん	54
□ 鮮烈	せんれつ	54
□ 洗練	せんれん	36
□ 憎悪	ぞうお	36
□ 総括	そうかつ	36
□ 遭遇	そうぐう	36
□ 操作	そうさ	19
□ 掃除	そうじ	19
□ 喪失	そうしつ	36
□ 操縦	そうじゅう	54
□ 装飾	そうしょく	19
□ 増殖	ぞうしょく	37
□ 挿話	そうわ	20
□ 疎遠	そえん	20
□ 疎外	そがい	37
□ 促進	そくしん	37
□ 組織	そしき	55
□ 措置	そち	37
□ 疎通	そつう	37
□ 率先	そっせん	20
□ 率直	そっちょく	37
□ 備える	そなえる	37
□ 供える	そなえる	55
□ 素朴	そぼく	37
□ 背く	そむく	55
□ 待機	たいき	37
□ 退屈	たいくつ	55
□ 対処	たいしょ	37
□ 代償	だいしょう	38
□ 怠惰	たいだ	38
□ 台頭	たいとう	38
□ 妥協	だきょう	55
□ 託す	たくす	38
□ 巧み	たくみ	38
□ 蓄え	たくわえ	20
□ 多彩	たさい	38
□ 携わる	たずさわる	38
□ 堕落	だらく	55
□ 探索	たんさく	38
□ 誕生	たんじょう	38
□ 端正	たんせい	38
□ 端的	たんてき	20
□ 丹念	たんねん	20
□ 短絡	たんらく	20
□ 鍛練	たんれん	20
□ 蓄積	ちくせき	20
□ 秩序	ちつじょ	39
□ 抽出	ちゅうしゅつ	20

☐ 蒸発	じょうはつ	53		☐ 衰退	すいたい	19
☐ 障壁	しょうへき	18		☐ 出納	すいとう	54
☐ 将来	しょうらい	53		☐ 崇高	すうこう	35
☐ 奨励	しょうれい	34		☐ 崇拝	すうはい	35
☐ 触発	しょくはつ	18		☐ 隅	すみ	35
☐ 叙述	じょじゅつ	18		☐ 澄む	すむ	35
☐ 徐徐に	じょじょに	18		☐ 性急	せいきゅう	35
☐ 庶民	しょみん	34		☐ 制御	せいぎょ	19
☐ 署名	しょめい	53		☐ 精巧	せいこう	54
☐ 試練	しれん	53		☐ 静寂	せいじゃく	19
☐ 侵害	しんがい	18		☐ 成熟	せいじゅく	35
☐ 真剣	しんけん	53		☐ 盛衰	せいすい	35
☐ 深刻	しんこく	34		☐ 征服	せいふく	54
☐ 侵食	しんしょく	18		☐ 性癖	せいへき	35
☐ 真相	しんそう	53		☐ 摂取	せっしゅ	19
☐ 進展	しんてん	53		☐ 雪辱	せつじょく	35
☐ 浸透	しんとう	18		☐ 折衷	せっちゅう	19
☐ 侵入	しんにゅう	53		☐ 摂理	せつり	35
☐ 審判	しんぱん	18		☐ 迫る	せまる	54
☐ 振幅	しんぷく	34		☐ 繊維	せんい	54
☐ 辛抱	しんぼう	18		☐ 旋回	せんかい	36
☐ 推移	すいい	19		☐ 先駆	せんく	36
☐ 遂行	すいこう	19		☐ 繊細	せんさい	36
☐ 衰弱	すいじゃく	34		☐ 潜在	せんざい	36
☐ 随所	ずいしょ	53		☐ 前提	ぜんてい	36

□	殺到	さっとう	51
□	雑踏	ざっとう	16
□	参画	さんかく	32
□	残酷	ざんこく	51
□	指揮	しき	51
□	(お)辞儀	(お)じぎ	32
□	刺激	しげき	16
□	示唆	しさ	16
□	思索	しさく	16
□	施設	しせつ	52
□	事態	じたい	16
□	嫉妬	しっと	32
□	執筆	しっぴつ	16
□	師弟	してい	52
□	指摘	してき	16
□	至難	しなん	33
□	縛る	しばる	16
□	指標	しひょう	33
□	自明	じめい	33
□	釈然	しゃくぜん	33
□	遮断	しゃだん	33
□	若干	じゃっかん	33
□	邪魔	じゃま	52
□	収穫	しゅうかく	33
□	従属	じゅうぞく	52
□	渋滞	じゅうたい	33
□	執着	しゅうちゃく	17
□	柔軟	じゅうなん	17
□	充満	じゅうまん	33
□	趣向	しゅこう	17
□	主催	しゅさい	33
□	述懐	じゅっかい	34
□	授与	じゅよ	52
□	樹立	じゅりつ	52
□	循環	じゅんかん	34
□	紹介	しょうかい	17
□	障害	しょうがい	34
□	衝撃	しょうげき	17
□	証拠	しょうこ	52
□	障子	しょうじ	17
□	成就	じょうじゅ	17
□	精進	しょうじん	17
□	焦燥	しょうそう	17
□	肖像	しょうぞう	34
□	消息	しょうそく	34
□	招待	しょうたい	52
□	情緒	じょうちょ	52
□	象徴	しょうちょう	17
□	衝動	しょうどう	52
□	衝突	しょうとつ	18

☐ 懸念	けねん	30		☐ 硬直	こうちょく	15
☐ 険しい	けわしい	14		☐ 興奮	こうふん	51
☐ 権威	けんい	14		☐ 巧妙	こうみょう	15
☐ 嫌悪	けんお	50		☐ 高揚	こうよう	15
☐ 見解	けんかい	30		☐ 効率	こうりつ	31
☐ 厳格	げんかく	50		☐ 考慮	こうりょ	31
☐ 謙虚	けんきょ	14		☐ 枯渇	こかつ	15
☐ 堅固	けんご	14		☐ 刻印	こくいん	31
☐ 顕在	けんざい	14		☐ 酷使	こくし	31
☐ 厳粛	げんしゅく	31		☐ 孤独	こどく	31
☐ 検証	けんしょう	31		☐ 拒む	こばむ	51
☐ 献身	けんしん	50		☐ 鼓舞	こぶ	32
☐ 源泉	げんせん	51		☐ 固有	こゆう	15
☐ 顕著	けんちょ	14		☐ 雇用	こよう	32
☐ 厳密	げんみつ	14		☐ 凝らす	こらす	15
☐ 故意	こい	31		☐ 孤立	こりつ	15
☐ 好奇心	こうきしん	51		☐ 根拠	こんきょ	32
☐ 恒久	こうきゅう	51		☐ 痕跡	こんせき	15
☐ 後継	こうけい	51		☐ 困惑	こんわく	32
☐ 貢献	こうけん	14		☐ 際限	さいげん	15
☐ 交錯	こうさく	31		☐ 催促	さいそく	32
☐ 更新	こうしん	14		☐ 栽培	さいばい	16
☐ 拘束	こうそく	15		☐ 削減	さくげん	32
☐ 光沢	こうたく	51		☐ 提げる	さげる	32
☐ 構築	こうちく	31		☐ 錯覚	さっかく	16

□	驚異	きょうい	12
□	脅威	きょうい	12
□	境遇	きょうぐう	29
□	恐慌	きょうこう	29
□	仰視	ぎょうし	12
□	享受	きょうじゅ	12
□	郷愁	きょうしゅう	29
□	恐縮	きょうしゅく	12
□	矯正	きょうせい	12
□	業績	ぎょうせき	12
□	驚嘆	きょうたん	12
□	仰天	ぎょうてん	12
□	恐怖	きょうふ	49
□	興味	きょうみ	49
□	強要	きょうよう	49
□	極端	きょくたん	29
□	虚構	きょこう	29
□	拒絶	きょぜつ	29
□	挙動	きょどう	49
□	拒否	きょひ	29
□	岐路	きろ	12
□	均衡	きんこう	13
□	緊張	きんちょう	13
□	吟味	ぎんみ	13
□	偶然	ぐうぜん	13

□	偶像	ぐうぞう	49
□	駆使	くし	13
□	苦渋	くじゅう	29
□	崩れる	くずれる	50
□	砕く	くだく	29
□	屈辱	くつじょく	13
□	屈折	くっせつ	50
□	苦闘	くとう	30
□	工面	くめん	30
□	繰る	くる	50
□	経緯	けいい	13
□	契機	けいき	13
□	傾向	けいこう	30
□	掲載	けいさい	30
□	傾斜	けいしゃ	50
□	継承	けいしょう	13
□	軽率	けいそつ	30
□	境内	けいだい	50
□	系統	けいとう	50
□	傾倒	けいとう	50
□	系譜	けいふ	13
□	結構	けっこう	30
□	傑作	けっさく	30
□	欠如	けつじょ	14
□	潔癖	けっぺき	30

□	還元	かんげん	9
□	換言	かんげん	9
□	甘言	かんげん	48
□	監視	かんし	9
□	甘受	かんじゅ	9
□	干渉	かんしょう	9
□	勘定	かんじょう	9
□	肝心	かんじん	10
□	歓声	かんせい	28
□	含蓄	がんちく	10
□	貫徹	かんてつ	28
□	甘美	かんび	10
□	肝要	かんよう	10
□	寛容	かんよう	10
□	管理	かんり	28
□	慣例	かんれい	28
□	還暦	かんれき	28
□	緩和	かんわ	10
□	奇異	きい	10
□	機縁	きえん	48
□	飢餓	きが	10
□	危機	きき	28
□	戯曲	ぎきょく	48
□	帰結	きけつ	48
□	起源	きげん	48
□	儀式	ぎしき	10
□	机上	きじょう	10
□	犠牲	ぎせい	28
□	奇跡	きせき	11
□	軌跡	きせき	48
□	基礎	きそ	48
□	競う	きそう	48
□	帰属	きぞく	28
□	既存	きそん	11
□	鍛える	きたえる	11
□	貴重	きちょう	48
□	奇特	きとく	49
□	希薄	きはく	11
□	規範	きはん	11
□	基盤	きばん	11
□	忌避	きひ	11
□	機微	きび	11
□	厳しい	きびしい	49
□	規模	きぼ	49
□	奇妙	きみょう	28
□	救援	きゅうえん	49
□	究極	きゅうきょく	11
□	救済	きゅうさい	11
□	究明	きゅうめい	29
□	寄与	きよ	49

☐	得体	えたい	46
☐	獲物	えもの	6
☐	沿革	えんかく	6
☐	遠隔	えんかく	46
☐	円滑	えんかつ	7
☐	遠慮	えんりょ	7
☐	横行	おうこう	27
☐	往来	おうらい	27
☐	覆う	おおう	7
☐	臆病	おくびょう	7
☐	怠る	おこたる	47
☐	興る	おこる	47
☐	汚染	おせん	27
☐	襲う	おそう	7
☐	陥る	おちいる	7
☐	脅かす	おびやかす	47
☐	恩恵	おんけい	7
☐	回帰	かいき	7
☐	懐疑	かいぎ	27
☐	回顧	かいこ	7
☐	悔恨	かいこん	47
☐	介在	かいざい	7
☐	開拓	かいたく	8
☐	該当	がいとう	8
☐	介入	かいにゅう	47
☐	概念	がいねん	8
☐	介抱	かいほう	8
☐	快方	かいほう	47
☐	解剖	かいぼう	8
☐	皆無	かいむ	27
☐	覚悟	かくご	8
☐	確執	かくしつ	8
☐	隔絶	かくぜつ	27
☐	拡張	かくちょう	47
☐	獲得	かくとく	8
☐	確認	かくにん	27
☐	隔離	かくり	27
☐	過酷	かこく	47
☐	渦中	かちゅう	47
☐	画期的	かっきてき	8
☐	葛藤	かっとう	27
☐	渇望	かつぼう	8
☐	貨幣	かへい	27
☐	我慢	がまん	47
☐	絡む	からむ	9
☐	華麗	かれい	48
☐	感慨	かんがい	28
☐	喚起	かんき	9
☐	環境	かんきょう	9
☐	簡潔	かんけつ	9

チェックテストを120%活用しよう

「チェックテスト」は、本書に掲載した「書き取り」と「読み」を赤字にして、50音順にまとめたものです。

同音の漢字や別の読み方があるものもあります。その場合は、必ず掲載ページの例文に戻って復習しましょう。また、国語辞典を活用して、漢字には多くの使い方があることを理解しましょう。

□ 挨拶	あいさつ	6
□ 曖昧	あいまい	26
□ 仰ぐ	あおぐ	46
□ 圧倒	あっとう	6
□ 暗黙	あんもく	6
□ 遺憾	いかん	6
□ 異議	いぎ	26
□ 威儀	いぎ	46
□ 委曲	いきょく	26
□ 遺産	いさん	46
□ 維持	いじ	6
□ 移植	いしょく	26
□ 異端	いたん	6
□ 逸脱	いつだつ	6
□ 遺伝	いでん	26
□ 畏怖	いふ	46
□ 息吹	いぶき	26
□ 戒める	いましめる	46
□ 異様	いよう	46
□ 因縁	いんねん	26
□ 伺う	うかがう	46
□ 奪う	うばう	46
□ 営為	えいい	6
□ 影響	えいきょう	26
□ 鋭利	えいり	26
□ 会釈	えしゃく	26

銀の漢字

チェックテスト

赤フィルターを使い、効率よく復習しましょう。チェック欄を活用し、繰り返し復習することが必要です。『銀の漢字』をマスターしたら、次は『金の漢字（詳細は149ページ）』にチャレンジしましょう。

（右端の数字は本書の掲載ページを示しています）

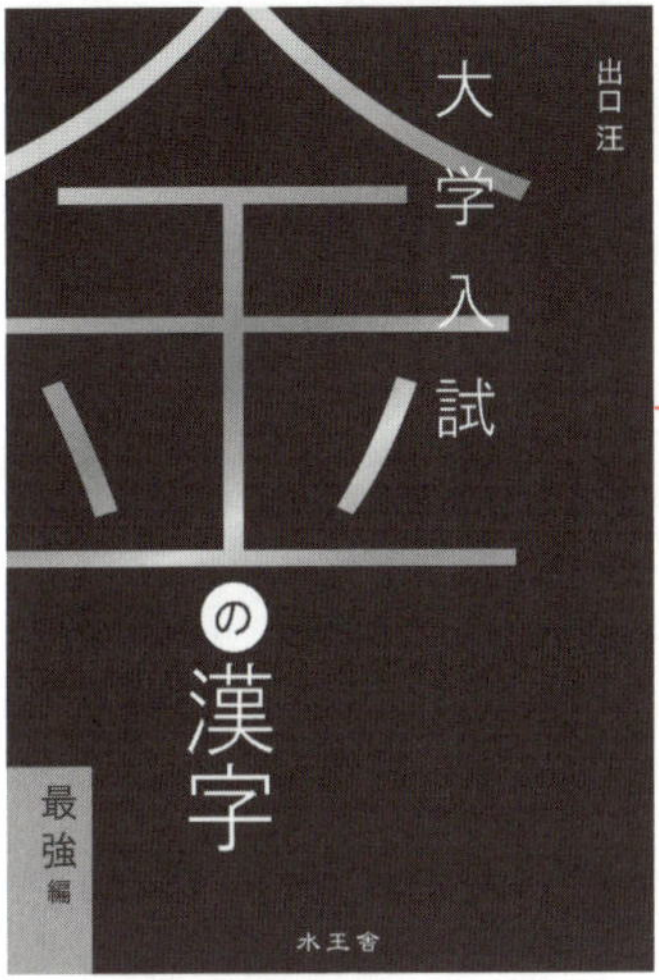

最近5年間の入試の漢字を 97%カバー

完璧な漢字力養成と語彙力を強化したい人は『金の漢字』！　徹底的にマスターすれば、重要な評論用語も完璧になります。実際の入試問題をアレンジした実践問題もついています。『金の漢字』をとことん活用してください！

金の漢字 最強編
本体価格800円+税

金の漢字　目次

書き取り
A問題　400 …… 6
B問題　300 …… 46
C問題　300 …… 76
読み
A問題　100 …… 108
B問題　100 …… 118
C問題　100 …… 128
語彙問題
実践問題　60 …… 140
四字熟語　100 …… 160
チェックテスト
金の漢字　書き取り …… 213
金の漢字　読み …… 192
銀の漢字　書き取り …… 186
銀の漢字　読み …… 175

※書き取り・読み・四字熟語は『銀の漢字』との重複はありません。

改訂新版 システム現代文 私大対策編

難関といわれる私大入試問題の様々な出題形式のカタログになっている1冊！解答までのプロセスを詳細に明らかにしている。

●本体価格 1200円

改訂新版 システム現代文 バイブル編

受験現代文の必携書。根本的な解法・ルールを徹底解説！答えの正否ではなく「どう解いたか」。出口式プロセスで「論理」を完全習得！

●本体価格 1200円

改訂新版 システム現代文 論述・記述編

「書く」問題の集大成！　正答を導くためのあらゆるテクニックを網羅。設問形式の違いによる解法も明らかにしている。

●本体価格 1200円

システム現代文 実戦演習編

珠玉の文章ばかりを厳選し、設問にも様々な工夫が施されている。シリーズの総仕上げとなる本書は、最も知的興奮を味わえるだろう！

●本体価格 1200円

出口 汪（でぐち・ひろし）

関西学院大学大学院文学研究科博士課程単位取得退学。広島女学院大学客員教授、出口式みらい学習教室主宰。現代文講師として、入試問題を「論理」で読解するスタイルに先鞭をつけ、受験生から絶大なる支持を得る。そして、論理力を養成する画期的なプログラム「論理エンジン」を開発、多くの学校に採用されている。現在は受験界のみならず、大学・一般向けの講演や中学・高校教員の指導など、活動は多岐にわたり、教育界に次々と新機軸を打ち立てている。著書に『出口汪の「最強！」シリーズ』『日本語力 人生を変える最強メソッド』『出口のシステム現代文シリーズ』『論理でわかる現代文シリーズ』『システム中学国語シリーズ』（以上、水王舎）など多数。

■水王舎の最新情報はこちら
https://suiohsha.co.jp

銀の漢字　必須編

2010年3月14日　初版　第1刷発行
2025年4月15日　　　　第15刷発行

著　者　　出口　汪
発行者　　出口　汪
発行所　　株式会社　水王舎
　　　　　〒561-0882　大阪府豊中市南桜塚1-12-19
　　　　　TEL 080-3442-8230
　　　　　ホームページ https://suiohsha.co.jp
印刷所　　日之出印刷
製本所　　穴口製本所

乱丁本・落丁本はお取り替えいたします。
本書の無断転載、複製、複写（コピー）、翻訳を禁じます。本書を代行業者等の第三者に依頼してスキャンやデジタル化することは、たとえ個人や家庭内の利用であっても、著作権上認められておりません。
©Hiroshi Deguchi 2010 Printed in Japan
ISBN978-4-921211-18-9